KB196493

안중근, 하얼빈에 역사를 묻다

글 · 김월배, 김이슬

걸음

목차

목차

저자의 말

하얼빈에는 수많은 역사가 있다. 특히 한민족의 역사가 곳곳에 즐비하다. 독립운동을 하기 위해 하얼빈으로 간 동포들의 역사, 하얼빈에서 태어난 동포들의 역사, 또한 하얼빈을 거쳐 간 동포들의 역사가 녹아 있다.

나는 하얼빈과 중국에서 보낸 기억과 역사의 현장을 모아 하얼빈 곳곳을 기록으로 남기려 한다. 동토의 땅 하얼빈에서 발로 뛰고 나의 두 다리가 기억하는 역사의 기록이다. 지금도 하얼빈은 내 가슴을 뜨겁게 달구는 역사의 현장이며 이 글은 내가 15년간 중국에서 보낸 나의 기록이다.

누가 나에게 하얼빈이 어떠한 곳이냐고 묻는다면 나는 하얼빈이 제2의 고향이라고 자신 있게 답한다. 하얼빈에는 나의 중년기가 녹아 있다. 나는 2005년 12월 하얼빈에 처음 갔다.

하얼빈은 정말 동토의 땅이었다. 발길 닿는 곳마다 추위와 눈이었다. 그때 나는 추위를 느낄 겨를도 없었다.

나는 당시 하얼빈에 안중근 의사 동상을 설립해야 했다. 2006년 1월 16일 오후 15시 역사적 순간이었다. 긴박한 순간이었다. 국내가 아닌 하얼빈에 동상 컨셉 제작, 설치 등 모든 순간들이 숨가쁘게 돌아갔다.

5미터가 넘는 안중근 의사 동상을 꼭두새벽 기중기를 동원해 번개처럼 세웠다. 실로 007 작전을 방불케 한 순간이었다. 많은 사람들의 축하를 받으며 자랑스럽게 세워야 할 안중근 의사의 동상. 안중근 의사가 이토 히로부미를 처단한 바로 그곳 하얼빈에 세우는 일인데도 모든 것이 녹록치 않았다.

긴박한 순간에 동상 제막 프로그램을 점검하였다. 방명록 점검, 시나리오 정비, 축사, 내빈들의 동선 파악 등 초긴장의 연속이었다. 내 차림새는 그야말로 막노동자의 차림이었다. 안중근 의사를 모시는 일에 최소한의 예의를 갖추기 위해 그 와중에 중저가 옷가게로 뛰어가 저렴한 상의를 구입했다.

드디어 한국과 다롄에서 역사적인 순간을 기리려는 손님들이 차량을 이용해 단체로 오셨다. 오후 세 시, 민족의 성지, 안중근 의사가 이토 히로부미를 주살(誅殺)한 하얼빈에 안중근 의사의 동상이 세워지는 역사적 순간이었다. 나는 떨리는 목소리로 사회를 보았다. 얼마나 고대하던 순간이었는지 가슴이, 심장이, 온몸이 떨렸다.

이것이 나의 안중근 의사와 하얼빈의 시작이었다. 내 인생의 전환점이었다.

독립운동의 성지 하얼빈에 안중근 의사를 흠모하고 안중근 의사를 사랑하는 행동가들에 의해 안중근 의사가 하얼빈에 동상으로 부활한 것이었다.

그러나 불과 11일, 열하루 만에 안중근 의사의 동상은 지상에서 지하로 내려

가야 했다. 안중근 의사가 1909년 10월 하얼빈에 계셨던 그 11일과 동일하게 불과 11일 만에 숨 막히게 홍분하여 세웠던 안중근 의사 동상을 나는 3년 동안 지하에 모시고 있었다.

언젠가는 반드시 그 동상을 다시 하얼빈 광장에 다시 세우고 싶었지만 그 염원은 하얼빈에서는 다시 이룰 수가 없었다. 지금은 그 안중근 의사 동상이 경기도 부천의 안중근 공원에 세워져 있다.

1910년 뤼순 감옥에서 안중근 의사가 유언을 남기셨다.

“내가 죽거들랑 하얼빈 공원에 묻었다가 고국으로 반장해다오”

그러나 이 유언은 이루어지지 않았다.

일제는 안중근 의사가 하얼빈 공원에 묻히면 바로 그곳이 대한독립의 성지가 될 것을 우려해서 안중근 의사의 유언까지 묵살해 버렸다. 당시 하얼빈 일본 총영사 가와카미는 일본 외무대신에게 전문을 보내 안중근 의사 유해를 하얼빈으로 보내지 말라고 하였다. 안중근 의사를 뤼순 감옥에 가둔 후 일제는 전 세계인 앞에 자랑스럽게 공판 쇼를 벌이며 마치 일본이 최고의 법을 지키는 문명국인 양 선전을 해댔다. 그러나 일본은 자신들이 만든 감옥법 74조를 어겼다. 일본의 감옥법 74조는 사형집행이 끝나면 유해를 가족에게 돌려주는 것이었다. 안중근 의사가 순국한 후 안중근 의사 두 동생이 유해를 모시기 위해 뤼순에

갔지만 일본은 동생들에게 유해를 인도하지 않았다. 그들 스스로 감옥법을 어기면서까지 안중근 의사의 유해를 돌려주지 않은 것이다. 안중근 의사의 유해는 지금도 어디에 있는지 일본이 감추고 있다. 광복 75주년이 흐른 지금까지도 안중근 의사의 유언을 우리는 지키지 못하고 있다. 일본은 안중근 의사 유해를 비밀리 매장한 원죄를 반드시 밝혀야 한다.

이 책을 출간하기까지 많은 사람의 노고가 있었다. 특히 나의 가족이다. 나의 아내 김미애, 나의 사랑하는 아들 김종서 참으로 추운 하얼빈이었지만 가족 간의 마음은 따듯했던 하얼빈에서 같이 살아온 수많은 시간들의 기록이다. 특히 하얼빈 이공대학 국제교류처 김기영 주임에게 진심으로 감사를 드린다. 하얼빈 안중근 의사 기념관 전임 관장이신 강월화 관장, 침화 731부대 죄증 진열관 임화 주임, 더욱이 하얼빈에서 오랜 시간 동고동락을 하던 첼로 사진 예술원 김창길 사장의 배려와 격려는 이역만리 하얼빈에서 힘든 시간을 지탱해 나갈 수 있는 동기를 부여해주었다. 하얼빈 빈현 검찰청에서 강직하게 살아오신 苑树彬님께 진심으로 감사드린다. 소중한 지면을 섬세하게 다듬어 주신 안중근 의사 홍보대사 문영숙 작가와 글의 품격을 높여 주신 박혜선 작가에게 지면을 빌어 다시금 감사함을 드린다.

여행은 아는 만큼 보이고 아는 만큼 느낀다. 하얼빈의 여행자들은 더 깊은 하얼빈을 찾아 보시길 권한다. 중앙대가에서 송화강과 만나는 방홍기념탑에 새겨진 조선족 여인, 동북 열사 기념관에 전시 소개된 경북 의성 출신 한국인, 서울 구로구청에서 하얼빈에 세운 안중근 의사 동상은 처음 어디에 세웠으며 지금은 어디에 있을까? 하얼빈에 가장 큰 한국기업으로 전임 대통령이 방문했던 기업은 어느 기업이며 지금은 어찌되었을까? 하얼빈에 현재 거주하는 로봇 공학으로 중국에서 가장 저명한 동포 학자는 어느 분일까? 이에 대한 물음을 찾아가는 하얼빈 여행길은 더욱 풍성하고 알차진다. 본 내용은 책에 일부러 수록하지 않았다. 여행자들이 관심을 갖고, 만나는 하얼빈 시민들과 질문을 통해서 찾아보길 바란다.

이 책이 하얼빈 여행을 하시는 분들을 위한 필독서가 되길 바란다. 또한 하얼빈을 고향으로 둔 동포들에게 자긍심을 줄 수 있는 책이 된다면 좋겠다.

2020년 10월 26일 김월배

하얼빈에 대한 소고

하얼빈이라 하면 대부분 빙등제나 추운 겨울 혹은 안중근 의사의 하얼빈 의거를 떠올릴 것이다. 나 역시 하얼빈에 오기 전까지 마찬가지였다. 약 10년 전 베이징에서 교환학생으로 있던 당시, 겨울 방학에 친구들이 하얼빈으로 빙등제를 보러 가자고 한 적이 있었다. 추위가 너무 싫었던 나는 절대 겨울에 하얼빈은 가지 않겠다고 하며 다른 지역으로 여행을 갔었다. 그런데 절대 가지 않겠다고 온몸으로 거부하던 하얼빈에서 현재 유학 생활을 하며 추운 겨울을 보내는 나 자신을 돌아보니 그 당시 뱉었던 말이 생각나 우습기도 하고 하얼빈과 인연이 있나 싶기도 하다.

하얼빈으로 박사 과정 공부를 하러 간다고 하니 떠나기 전, 아버지께서 이런 말씀을 해주셨다. 할아버지께서 고향인 경북 의성에 살고 계셨는데 중학교 갈 때가 되자, 집안 어른들께서 하얼빈에 있는 친척 집으로 할아버지를 보내 중학교 공부를 시키셨다는 것이다. 후에 할아버지께서는 방학을 맞아 하얼빈에서 고향으로 열차를 타고 돌아오는 도중 일제로부터 해방이 되어 그 길로 계속 고향으로 가시고 하얼빈이 아닌 고향에서 공부를 마치셨다고 했다. 할아버지께서 살아계셨을 때 이 이야기를 듣지 못한 것이 아쉽지만 하얼빈역이나 중앙대가 등을 걸을 때면 문득 할아버지께서도 이 길을 걸으셨겠지라는 생각이 든다.

나는 중국 경험이 오래되거나 많지 않다. 하지만 하얼빈 외의 다른 지역에서도 살아 보기도 하고 여행으로 다닌 지역 역시 적지 않은 편이다. 그러나 하얼빈만큼 매력적인 도시는 많지 않은 것 같다. 하얼빈에서 중국 동북의 문화를 느낄 수 있을 뿐 아니라, 오래된 도시답게 하얼빈만의 고유한 특색도 내뿜고 있다. 또한 역사적으로도 한국과 많은 인연이 있는 도시로 한국 사람들이 관심을 가질 수밖에 없는 곳인 것도 분명하다고 생각한다. 특히 대한의 독립과 동양평화를 위한 안중근 의사의 이토 히로부미 주살의 역사적 현장도 다름 아닌, 하얼빈에 있다.

하얼빈에서 공부하면서 만난 많은 중국 사람들은 안중근 의사를 알고 있다. 심지어 많은 사람들이 그를 존경하며 하얼빈역 옆에 위치한 안중근 의사 기념관을 방문한다. 하얼빈은 안중근 의사뿐 아니라, 잘 알려지지 않았지만 수많은 한국의 독립운동가 분들의 흔적도 남아있는 곳이다.

이렇듯 하얼빈은 한국 사람으로서, 후손으로서 자긍심을 느낄 수 있는 곳이다.

이제 역사의 현장을 발로 디디며 마음으로 느끼면서 동방의 모스크라 불리는 하얼빈의 문화와 매력에 흠뻑 빠져 볼 시간이다.

2020년 10월 26일 김이슬

추천사

하얼빈은 한국인에게 특별한 곳이다. 안중근 의사가 가장 머리에 떠오른다. 그렇다. 안중근 의사이다. 안중근 의사는 대한독립과 동양평화를 염원하시다가 살신성인하신 대한민국의 자랑이시다. 나는 안중근 의사 홍보 대사로서 하얼빈을 방문하였다. 하얼빈 역사와 안중근 의사 행적, 그리고 731 부대 등을 보면서 이역만리 고향을 떠난 한국인의 역사와 저항을 보았다.

안중근 의사를 선양하는 김월배 교수와의 인연은 이때 이루어 졌다. 지난 수년간 안중근 의사가 남기신 과제를 해결하고자 중국에서 고군분투하는 모습을 가까이서 지켜보았다. 또한 현장 하얼빈에서 미래를 준비하는 하얼빈 이공대학의 김이슬 선생의 모습도 보았다. 하얼빈을 가장 잘 알고 누구보다 하얼빈을 사랑하는 두 사람이다. 그동안 하얼빈에서 현장에서 보고 겪은 한국인의 독립운동과 조선족의 모습을 기록한 “안중근, 하얼빈에 역사를 묻다” 발간을 진심으로 축하한다.

대한민국 국민과 하얼빈 동포들이 안중근 의사와 한국 독립운동가를 높이 선양하고 있다. 본서가 하얼빈에서 한국 독립운동가를 선양하는 길잡이 역할이 되기를 바란다.

안중근의 하얼빈의거에는 여러 명의 동지가 있다. 우덕순, 조도선, 유동하를 비롯한 15명 체포되어 9명이 뤼순감옥으로 압송되었다. 그중 독립운동가 정대호가 있다. 정대호 선생은 하얼빈의거 다음날 안중근의 가족을 모시고 하얼빈에 온 인물이다. 또한 진남포에서 안중근 의사와 이웃하면서 살아온 안중근 의사 동지이자 의형제이다.

안중근 의사가 남기신 유언이 있다. '국권이 회복이 되면 고국으로 반장해 다오' 올해로 110주년이다. 아직도 안중근 의사의 유언이 실현이 되지 못하고 있다. 안중근의사가 남기신 유언이 조속히 실현되기를 바란다. 코레아 우라!

2020년 10월 26일 독립운동가 정대호 유족 이성호

- 제1장 -

동방 모스크바

- 하얼빈 역사, 왜 하얼빈이라고 했을까?
- 얼음 도시 하얼빈, 빙등제와 빙설대세계
- 노래하자 하루빈, 춤추는 하루빈
- 러시아 조차지를 가다
  - 중앙대가
  - 다리에바, 거와스, 홍창
  - 러시아 식당
  - 하얼빈역과 성·이베론 성당
  - 성·소피아 성당
  - 과과리대가와 추림공사
  - 볼가장원과 성·니콜라스 성당
  - 태양도

하얼빈 역사, 왜 하얼빈이라고 했을까?

인천공항에서 출발한 비행기가 하얼빈 공항에 착륙했다. 창밖으로 하얼빈 공항이 보인다. 공항 건물 위에 '哈爾濱(하얼빈)'이라고 쓴 커다란 붉은색 글자가 점점 가까이 다가온다. 문득 하얼빈이란 명칭의 유래가 궁금해졌다. 중국의 도시 이름은 대부분 두 글자인데 왜 하얼빈은 세 글자일까? 왜 하얼빈이라고 했을까? 우리 동포들은 할빈이라고도 부른다. 한자로 읽으면 합이빈이다.

'하얼빈(哈尔滨/哈爾濱)'이란 글자를 살펴보면 '哈'는 한국식으로 발음하면 '합'인데 '물고기가 많은 모양 합'이란 뜻이다. '尔(爾)'은 한국어로 '이'로 발음

송화강

하는데 '너, 그'를 지칭하는 한자(漢字)이다. 마지막으로 '滨(濱)'은 한국어로 '빈'으로 발음하며 '물가'라는 뜻이다.

그렇다면 물고기가 많은 물가라는 뜻과 관련이 있는 것인가, 하얼빈의 송화강(松花江) 때문에 이러한 이름이 붙여진 것인가 하고 추측해 본다.

하얼빈이란 이름이 붙여진 연유에는 여러 가지 설이 있다.

첫째, 여진어(女真語)의 'galouwen'(백조(白鳥)라는 의미)에서 왔다는 설이 있다. 흑룡강과 하얼빈 송화강 유역은 백조가 반드시 지나가는 지역인데, 여진어(女真語)로 백조가 울기 시작하면 '카루 카루(嘎鲁嘎鲁)' 즉, 'kaloun—kalou'라는 소리를 내어 kaloun이 galoun으로 쓰여 졌다. 후에 이 발음과 유사한 중국어 '哈爾溫(haerwen)'으로 불렸다.

둘째 만주어 '그물을 말리는 곳(曬網場)'이라는 말에서 유래됐다는 설이 있다고 한다.

셋째, 몽골어(蒙語)로 '평지(平地)'라는 발음에서 왔다는 설이다. 1913년 『吉林地志(길림지지)』라는 책에 실린 내용인데 발음이 몽골어와 상당히 유사하다는 설이다.

넷째, 러시아어로는 '큰 무덤'이라는 단어의 발음에서 유래됐다는 설이 있다. 1928년 러시아어로 출판된 『商工指南(상공지남)』이라는 책에는 러시아 사람들이 하얼빈을 영원히 차지한다는 뜻이라고 설명하고 있다.

다섯째, 만주어로 '쇄골(鎖骨)'을 음역한 '哈拉吧(중국어 발음은 'halaba')'에서 왔다는 설이 있다.

그밖에 퉁구스어(通古斯語)로 '나루터'라는 단어에서 유래했다는 설이 있고, 만주어에서 '평탄한 갯가의 개펄'이라는 단어의 발음 'halfinn(할핀)'에서 유래됐다는 설도 있다.

하얼빈은 별칭(別稱)도 많다. 하얼빈의 별칭들은 '빙청(氷城)', '동방소파리(東方小巴黎, 동방의 작은 파리)', '동방모스크(東方莫斯科, 동방의 모스크바)' 등이다.

빙등제와 빙설제는 한국에도 많이 알려져 있다. 하얼빈은 추운 겨울 날씨 때문에 빙청(氷城) 즉, 얼음 도시라 불린다.

중국의 동북부에 위치한 하얼빈은 여름이 짧고 겨울이 길다. 한겨울에는 영하 30도 가까이 기온이 떨어진다. 눈으로 뒤덮인 하얼빈은 겨울 왕국처럼 얼음 축제와 눈 축제가 펼쳐지는 얼음 도시로 변한다.

인천공항을 이륙한 지 두 시간 만에 하얼빈 공항에 도착했다. 국제공항이지만 하얼빈이란 도시에 비해 좀 작은 느낌이 들었다. 국제선 공항 밖으로 나오면 바로 국내선으로 이동하는 무료 셔틀버스 정류장 표지판이 보인다. 하얼빈 시내로 가는 공항버스(機場大巴)를 타기 위해 국내선 공항으로 이동했다. 한글로 쓰여 있는 표지판이 반갑다. 국내선 규모가 국제선보다 훨씬 커서 깜짝 놀랐다. 국내선을 이용하는 승객이 많아 2019년 증축했다고 한다. 공항버스 구매 창구(巴士售票)에서 중앙대가로 가는 티켓을 구입하고 공항버스에 탑승했다. 숙소로 이동하는 동안 눈에 들어오는 도시의 풍경은 유럽풍 건물들이 많이 보였다. 분명한 중국 땅인데 중국이 아니고 유럽에 온 느낌이었다. 그동안 중국 여러 지역을 다니며 보았던 풍경과 너무나 다른 풍경으로 하얼빈을 왜 '동방소파리', '동방모스크'라고 하는지 바로 느껴졌다. 하얼빈은 러시아의 조계지(租界地)였고 유럽 국가들의 총영사관과 영사관이 설치되었던 까닭에 유럽식 건물들을 쉽게 볼 수 있다.

흑룡강성(黑龍江省)의 성도이며 중국 동북지역의 정치, 경제, 문화 중심지인 하얼빈은 이렇듯 '빙청', '동방소파리', '동방모스크'라 불리며 독특한 매력과 아름다움을 뿜어 낸다.

그러나 하얼빈에는 한국과 같은 아픈 침략의 역사도 깃들어 있다. 공항버스는 어느새 하얼빈 시내 중심을 향해 달려가고 있었다. 이제 하얼빈의 빛과 그림자 속으로 깊숙이 들어가 보자.

얼음 도시 하얼빈, 빙등제와 빙설대세계

하얼빈에서 빼놓고 이야기할 수 없는 부분은 바로 빙설대세계(氷雪大世界, 하얼빈 국제 눈 축제)이다. 해마다 이 축제가 열리면 전 세계 사람들이 하얼빈에 와서 이 축제를 즐긴다. 보통 하얼빈 눈 축제로 알려져 있지만 빙등제와 빙설대세계로 나뉘는데 빙등제는 송화강 얼음을 이용하여 뼈대를 세우고 전기선을 넣어 만든 조형물로 환상적인 불야성을 이룬다. 빙설대세계는 태양도(太陽島) 정문에 눈을 이용하여 각종 조각물을 설치한다. 빙등제는 태양도 정문 맞은편 약 60만 평에 대형 빙등 구조물을 설치하여 즐기는 축제이다.

빙설대세계는 중앙대가 마디얼(Modern) 호텔 맞은편의 빙설대세계 전람 유한공사라는 기획회사가 담당한다. 이 회사는 매년 베이징에서 기자 회견을 열어 전 세계에 빙설대세계의 컨셉과 규모를 홍보한다.

11월이 되면 송화강은 두께 2미터의 얼음이 어는데 송화강에 트럭을 몰고 들어가 톱으로 얼음을 켜서 조형물을 제작한다. 얼음조각가들은 송화강 공로대교 옆에 군용 천막을 여러 개 쳐놓고 크레인을 동원하여 한 달 가량 밤낮으로 빙등제의 조형물을 제작한다. 빙등제는 매년 1월 5일 정식 개장하여 2월 말에서 3월 초까지 이어진다. 개장시간은 오전 9시부터 오후 9시까지이다.

빙설대세계 얼음조각

빙등제는 1963년 하얼빈 공원(哈爾濱公園)에서 처음 시작되었다. 하얼빈 공원은 안중근(安重根, 1879-1910) 의사가 묻어달라고 유언을 했던 현재의 조린 공원(兆麟公園)이다. 처음에는 소규모였지만 흑룡강성 하얼빈 시정부가 하얼빈의 빙설 문화를 알리기 위해 1999년 송화강에서 개장한 이래로 해마다 태양도를 중심으로 약 60만 평방미터에서 국제적인 컨셉으로 열린다. 얼음 미끄럼틀, 얼음 썰매, 영화관 등 눈과 얼음을 이용한 다양한 즐길 거리가 풍성하다. 입장료는 현장 구매 시 조금 비싼 편이지만 미리 인터넷으로 예약하면 할인이 된다.

빙설대세계

태양도보다 규모는 작지만 눈 축제 기간에 조린공원에서도 눈과 얼음 조각 예술품을 감상할 수 있다. 이제는 하얼빈의 거리 곳곳마다 빙등을 설치하여 하얼빈의 겨울 축제로 자리매김하고 있다.[1] 하얼빈 빙등제는 매년 특별한 주제를 가지고 전시를 한다.

2009년에 열린 빙등제는 안중근 의사 탄신 100주년을 맞이하여, 한국을 주제로 했는데 광화문, 수원화성, 경희궁, 첨성대, 석굴암을 비롯하여 한국의 건축물도 소개되었다. 특히 이순신(李舜臣, 1545-1598) 장군과 안중근 의사의 모습을 얼음으로 조각한 작품이 빙등제에 소개되어 하얼빈 시민과 전 세계인들에게 전달되었다. 당시 홍보대사로 이영애가 드라마 '대장금'의 한류 바람을 타고 와

1)하얼빈 빙설대세계 홈페이지(http://www.hrbicesnow.com) 참고.

빙등제 야경

서 의미를 더했다. 그때 나도 하얼빈에서 이영애를 만났고, 한국을 주제로 만들어진 화려한 얼음 조각상들도 만끽했다. 그 무렵이 중국에서 한류의 정점이었다.

하얼빈의 겨울 날씨에 적응되었다고 생각한 나는 한국에서 온 지인들에게 옷만 많이 입으면 춥지 않다고 자신 있게 말하며 그들과 함께 빙설대세계를 보기 위해 태양도로 향했다. 그러나 영하 30도의 추위 속에서 몇 시간 동안 견디는 것은 쉽지 않았다. 눈과 얼음으로 연출한 아름다운 풍경을 사진으로 남기고 싶은데 추운 날씨 때문에 휴대전화 배터리가 빠른 속도로 닳아버려서 손난로와 보조 충전기로 사진을 찍는 것도 쉽지 않았다.

눈과 얼음 조각 예술품들로 가득한 태양도는 겨울 왕국에 들어와 있는 것처럼 신비해서 감탄사가 절로 나왔다. 그때 함께 했던 지인들은 지금도 하얼빈의 '겨울왕국'에 대한 추억을 자주 들춘다. 그때 하얼빈의 겨울은 몹시 추웠지만 빙설대세계를 보지 못했다면 베이징에서 만리장성을 보지 못한 것과 같았을 것이다.

노래하자 하루빈, 춤추는 하루빈

노래하자 하루빈 춤추는 하루빈
아카시아 숲속으로 꽃마차는 달려간다
하늘은 오렌지색 꾸냥의 귀걸이는 한들한들
손풍금 소리 들려온다 방울소리 들린다~

푸른등잔 하루빈 꿈꾸는 하루빈
알롬삼삼 아가씨들 콧노래가 들려온다
송화강 출렁출렁 숨쉬는 밤하늘엔 별이 총총
색스폰 소리 들려온다 호궁소리 들린다~

울퉁불퉁 하루빈 코코 하루빈
뾰죽신발 바둑길에 꽃양산이 물결친다
이국의 아가씨야 내일의 희망안고 웃어다오

옛날 가수 진방남(秦芳男, 1917-2012)의 '꽃마차'라는 노래의 노랫말이다. '꽃마차'는 하루빈, 즉 하얼빈의 이국적인 풍경을 묘사한 노래였다. 이 경쾌한 노래는 1939년 이재호(李在鎬, 1914(또는 1919)-1960) 작곡, 반야월(半夜月)[2] 작사, 진방남 노래로 발표되었다(반야월과 진방남은 동일인, 본명은 박창오(朴昌吾)). 노래 가사를 살펴 보자. 1절에서는 하얼빈의 자연 풍경과 꽃마차, 아름답게 꾸민 여자들의 모습을 노래하고, 2절에서는 하얼빈의 송화강을 노래하고, 3절에서는 '울퉁불퉁', '바둑길'로 러시아 거리인 중앙대가를, '이국의 아가씨', '뾰족구두', '꽃양산'으로 중앙대가 속 러시아 여인들의 이국적인 모습을 노래한 것으로 보인다.

2) '울고 넘는 박달재', '단장의 미아리 고개', '아빠의 청춘' 등 인기 가요 작사.

일제강점기에 하얼빈을 포함한 중국 동북지역에 조선인들이 많이 이주하여 살았다. 중러밀약(1896)으로 러시아가 중국에 동청철도(東淸鐵道, 1911년 중동철도로 개칭[3])를 건설하면서 하얼빈에는 많은 러시아인들이 살게 되었고, 자연스럽게 유럽 및 러시아 문화가 많이 유입되었다. '꽃마차'도 이러한 하얼빈의 이국적인 모습을 가사에 담고 있다.

그러나 이 노래는 이후 '하루빈' 대신 '꽃 서울', '송화강' 대신 '한강'으로 가사가 바뀌었다. 가사만 보았을 때, 드러내 놓고 친일을 나타내거나 일본 군국주의를 찬양하는 노래로 보기 어렵다. 하지만 당시 일본의 대륙 침략 분위기에 편승해 중국 혹은 만주를 연상하게 하는 가사의 노래가 많았고 반야월은 이 노래 외에 '결전 태평양', '일억 총진군'과 같은 일본의 군국주의 가요의 가사를 썼기 때문에 2008년 '친일인명사전'에 올랐는데 2010년 6월 9일 국회에서 연 간담회에서 자신의 친일 행적을 사과했다.[4]

하얼빈은 안중근 의사와 같이 나라를 위해 목숨을 바친 독립운동가들도 있지만 반야월과 같은 친일파도 살았다. '꽃마차'에서 묘사한 것처럼 이국적인 풍경을 담고 있는 '동방모스크' 하얼빈. 그 역사 속으로 들어가 보자.

---

3) 하얼빈을 중심으로 동서로는 수분하와 만주리로 연결되고(중동철도) 남으로는 뤼순, 다롄(남만주 철도)으로 이어지는 총 길이 약 2만, 400㎞에 달하는 중국 동북 지역의 T자형 철도이다.

4) 한겨레 신문(2010.6.9.), 「작사가 반야월씨, 친일행적 사과」

러시아 조차지를 가다

동방모스크(東方莫斯科), 하얼빈(哈爾濱)을 부르는 또 다른 이름이다. 하얼빈은 러시아의 조차지[5]였기에 러시아식 건축뿐 아니라 많은 러시아 문화들이 남아 있다.

러시아와 중국, 특히 러시아와 흑룡강성의 역사는 오래되었다. 당시 청(淸)에 조공을 바치고 있던 흑룡강 지역에 포야르코브(V. D. Poyarkov) 원정단(1643-1646)과 하바로프(E. P. Khabarov) 원정단이 모피 약탈을 위해 원정을 왔다. 몇 년 후 러시아와 청은 네르친스크(Nerchinsk, 尼布楚)조약(1689)과 캬흐타(Kyakhta)조약(1727)으로 국경을 정하고 서로 합의했다. 그러나 연해주를 병합하기 위해 흑룡강성이 필요했던 러시아는 1858년 무력으로 청에게 불리한 아이훈 조약(愛琿條約)을 체결하여, 청은 연해주 전역을 러시아에 할양하게 되었다. 이후 청일전쟁(1894-1895)에서 패배한 청은 일본과 마관조약(시모노세키조약, 1895)을 체결하였고, 조약 중 하나인 랴오둥(遼東)반도를 일본에 할양하게 되었다.

러시아는 일본이 중국에서 세력이 커지는 것을 막기 위해 독일과 프랑스의 지

---

5) 조차지租借地 한 나라가 다른 나라로부터 빌려 통치하는 땅

중앙대가 마디얼호텔

지를 얻어 일본으로 하여금 랴오둥반도를 다시 중국에 반환하게 했다. 이를 계기로 러시아는 중국에 여러 가지를 요구하였는데 그중 하나가 1896년에 모스크바에서 체결한 중러밀약(中俄密約)이다. 이를 통해 러시아는 북만주를 통과해서 블라디보스토크에 이르는 철도 부설권을 얻게 되었다.[6] 송화강 오른쪽 기슭의 작은 어촌 마을이었던 하얼빈에 러시아가 동청철도를 건설하면서 많은 러시

---

6) 중러밀약 내용 중 러시아의 철도 부설권에 대한 내용: "第四款 今俄国为将来转运俄兵御敌并接济军火、粮食, 以期妥速起见, 中国国家允于中国黑龙江、吉林地方接造铁路, 以达海参崴。惟此项接造铁路之事, 不得借端侵占中国土地, 亦不得有碍大清国大皇帝应有权利, 其事可由中国国家交华俄银行承办经理。至合同条款, 由中国驻俄使臣与银行就近商订。"

7)1898년 중동철도 공사가 시작하면서 많은 러시아인이 하얼빈에 유입되었다. 1902년에는 러시아 군인들과 철도 건설 관련 러시아 직원들을 제외하고도 약 1만 2천 명의 러시아인이 하얼빈에 거주했다. 1909년 당시 하얼빈의 총 인구는 약 6만 명이었는데 그중 러시아인이 약 5만 명이었다. 1912년에는 하얼빈 내 러시아인이 약 4만 3천 명이었는데 이는 하얼빈 인구의 약 33%에 달했다. 김월배·판마오중(2014), 哈尔滨市百年人口数量变动数据(https://wenku.baidu.com/view/129ea360541810a6f524ccbff121dd36a22dc44a.html#) 참고.

아 기술자들과 노동자들, 그들의 가족들이 하얼빈으로 오게 되었고, 러시아 문화도 들어오게 되었다[7]. 철도의 발전에 따라 신흥 도시로 발전한 하얼빈에 각 분야의 러시아 사람들이 모이게 되었고, 그들은 자국의 건축가들을 불러 건축을 했다. 이로써 하얼빈에 러시아식 건축물이 급증하게 되었다.

중앙대가(中央大街)

호텔이 키타이스카야의 중심지에 있자 방이 행길편인 까닭에 창 기슭에 의자를 가져가면 바로 눈 아래에 거리가 내려보인다. … 그러면서도 쉴 새 없는 요란한 음향은 어디선지도 없이 한결 같이 솟으면서 영원의 연속같이 하루하루를 지배하고 있다. … 나는 키타이스카야 거리를 사랑한다. … 각각으로 변하는 인상이 속일 수 없는 자취를 거리에 적어간다.… [8]

윗글은 아내와 자식을 잃은 슬픔에 하얼빈에서 한동안 머무른 적이 있다는 「메밀꽃 필 무렵」(1936) 을 지은 이효석(李孝石, 1907-1942) 작가의 단편 소설 「하얼빈」의 서두이다. 마디얼 호텔에 여장을 풀고 창밖을 내다보니 활기찬 키타이스카야(Kitaiskaya) 거리, 즉 중앙대가(中央大街, 중양다제) 모습이 한눈

8) 이효석 작가의 단편 소설 「하얼빈」 중 일부 발췌.

마디얼 아이스 크림 가게

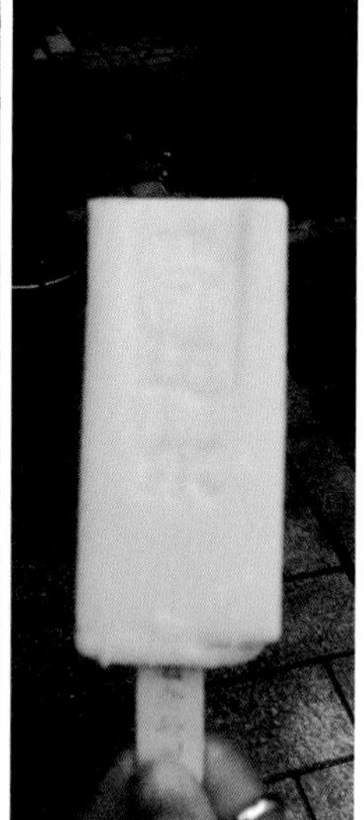
마디얼 아이스크림

에 보였다. 아침인데도 거리에는 많은 사람들이 바쁘게 오가고 있었다. 근대소설의 거장 이효석 작가가 묵었던 이곳 마디얼 호텔에 숙소를 잘 잡았다는 생각이 들었다. 마디얼 호텔은 1906년에 추림공사(秋林公司, 추림회사)에서 지었다. 호텔 이름인 '마디얼(馬疊爾)'은 러시아어 'модерн(마데른)'을 음역한 것으로 '현대적', '시대의 유행'이라는 의미로 당시 가장 화려하고 세련된 건물이었다고 한다. 무려 백 년이 넘는 역사를 지닌 이 호텔에 이효석 작가와 한류스타 이영애가 묵었다니 더 감회가 새롭다. 2016년에 방영된 KBS의 예능 프로그램 〈1박 2일〉에서 하얼빈 특집 때 출연진들도 이 호텔에 머물면서 녹화를 했다.

숙소 밖으로 나오자마자 하얼빈 명물인 마디얼 아이스크림(馬疊爾冰棍)을 파는 가게가 보였다. 마디얼 아이스크림은 1906년부터 마디얼(馬疊爾) 브랜드에서 만들기 시작한 아이스크림으로 하얼빈에서 하루에 1만여 개 정도 팔린다고 한다. 호기심으로 바닐라 맛의 아이스크림을 하나 사서 한입 베어 물었다. 과하지 않은 단맛과 진한 우유 향이 입 안 가득 퍼지는 달콤한 마디얼 아이스크림을 물고 중앙대가를 걸었다.

돌벽돌로 차근차근 깔아놓은 도로와… 서문가(敍紋街)로부터 송화강(松花江)을 채 못가서 감옥까지 뚫린 이 길이 불과 67정(丁)이나 될까. … 서구의 도시가 슬라브에 이식된 균정된 도시를 북만주 뜰 가운데 다시 이식해 놓은 거리로 오직 제정(帝政)시대의 식민지에 불과했다. 하지만 전통적인 러시아 문화의 잔재가 어느 모퉁이든 남아있는 것 같다… [9]

일제강점기 음악 평론가였던 김관(金管, 1910-1946) 선생이 쓴 「하얼빈 기행」에도 중앙대가에 대한 기록이 자세하게 나와 있다. 송화강이 자주 범람하여 마차가 다니기 편하게 화강암을 잘라 촘촘히 박은 길은 캐리어 가방을 끌기에 다소 불편했지만 중앙대가의 오랜 세월을 말해주듯 맨질맨질했다. 오랜 역사를

9) 김관 선생의 「하얼빈 기행」 중 일부 발췌.

중앙대가 거리

품은 거리 양편에 유럽풍 건물들이 수많은 관광객들을 맞이한다. 매년 열리는 하얼빈 여름 음악제에는 마디얼 호텔 2층 창문에서 바이올린을 연주하여 지나가는 관광객을 즐겁게 한다. 「하얼빈 기행」에서 중앙대가를 '에미그런트의 종로'라고 표현한 말처럼 중앙대가는 한국의 종로 거리나 명동 거리와 같은 번화가이다. 건물에는 백화점, 옷가게, 식당, 스포츠용품점, 러시아 기념품 가게, 서점, 카페 등이 있는데 모두 오래된 유럽풍 건물 안에 들어서 있다. 오래된 건물에 현대의 스포츠용품 가게가 이질감도 들었지만 과거와 현재가 공존하고 있음을 느낄 수 있었다.

다리에바

중앙대가와 특별한 인연이 있다. 2006년 1월 16일 오후 3시 30분, 하얼빈시 도리구 중앙대가와 접한 서11도가, 속칭 중앙대가에 안중근 의사 하얼빈 동상이 세워졌었다. 이는 실로 나에게는 역사적인 순간이었다.

중앙대가는 1900년도부터 중국대가(中国大街, 중궈다제)라 불리다가 1928년 7월부터 지금의 이름으로 불리기 시작했다. 약 1.4km에 걸친 중앙대가는 15-16세기의 르네상스 양식과 17세기의 바로크 양식과 18세기에서 19세기까지의 서양 건축물들이 종합건축 예술의 정수를 품고 있어서 더욱 아름답다. 스마트폰으로 연신 사진을 찍다가 눈으로 보는 모습들을 다 담아내지 못하는 아쉬움에 사진 찍기를 그만두고 눈과 마음에 담으며 도리구 서11도(道里區西11道)로 발걸음을 옮겼다.

거와스

홍창

다리에바(大列巴), **거와스**(格瓦斯), **홍창**(紅脹)

중앙대가를 걷다 보니 눈으로만 러시아 문화를 느낄 수 있는 것이 아니었다. 입으로도 러시아 문화를 느낄 수 있었다. 숙소에서 나와서 조금만 걸으면 빵집이 보인다. 민트색 외관의 아기자기한 가게 안으로 들어서자 구수한 빵 냄새가 났다.

빵집에서는 다리에바(大列巴)라는 빵을 팔고 있었다. 다리에바는 러시아 전통 빵이 하얼빈에 전해진 것으로 이제는 하얼빈 특산품이 되었다. 다리에바(大列巴)에서 '列巴(리에바)'는 러시아어 빵을 중국어로 음역한 것이고, 앞의 '크다'는 의미의 '大'는 빵이 너무 커서 앞에 붙였다고 한다. 생김새가 모카빵과 유사한 이 원형의 빵을 실제로 보니 크기가 아주 컸다. 정말 이름에 '大'자가 붙을 만하다. 그래서 중국 사람들은 다리에바를 '大面包(직역하면 '큰 빵'이라는 의미)'라고 부른다고 한다.

중국의 문학가 진목(秦牧, 1919-1992)은 하얼빈에서 이 빵을 보고 "빵이 솥뚜껑 같다(面包像鍋蓋)[10]"라고 했다. 정말 딱 맞는 비유다. 바로 빵을 조금 떼서 맛을 보았다. 겉은 딱딱한 편인데 껍질이 바게트보다 더 얇고 부드러웠다. 속은 촉촉하고 쫄깃쫄깃하고 맛은 바게트처럼 담백했다.

맞은편 가게에서 거와스(格瓦斯)라는 음료수도 사서 다리에바와 함께 먹었다. 거와스는 빵을 발효시켜 만든 음료인데 빵을 말려 발효시킨 음료라 색이 맥주와 비슷하다. 달콤하고 시원한 것이 다리에바와도 잘 어울렸다. 거와스는 러시아에서 최초로 만들어진 음료로 천 년의 역사를 가졌다고 한다. 거와스는 '발효'라는 의미의 러시아어 'квас(크배스)'를 음역한 것으로 19세기 말에 하얼빈에 들어온 러시아 문화 중 하나이다.

중앙대가에 홍창(紅腸)이라는 소시지 가게도 있다. 직역하면 '붉은 창자'라는 뜻이라 거부감이 들지만 맛있는 소시지이다. 원래 이름은 '蘇聯立陶宛灌腸(소련 리투아니아 소시지)'였다. 홍창도 러시아에서 하얼빈으로 전해진 지 이미

10) 출처 바이두(baidu)

백 년이 넘었다. 홍창을 파는 브랜드가 많은데 추림(秋林) 브랜드가 유명하다고 하여 추림 브랜드에서 파는 홍창 가게로 들어갔다. 홍창 말고 얼통창(兒童腸)이라는 것도 팔고 있었다. 눈으로 보기에 홍창과 별다른 차이가 없어 보여서 점원에게 차이를 물어보았다. 맛은 큰 차이가 없고 얼통창에 기름이 많아 부드럽단다. 한 개씩 사서 먹어보았다. 훈제 향과 소시지 맛이 느껴지면서 간도 잘 맞아 맥주가 저절로 생각났다.

다리에바, 거와스, 홍창은 중국과 러시아 양국 음식 문화 융합의 상징이며 하얼빈이라는 도시에 러시아 사람들이 살았던 역사의 흔적이라고 할 수 있다.

러시아 식당

점심은 하얼빈 속 러시아를 제대로 느끼기 위해 중앙대가 112호에 위치한 화메이시찬팅(華梅西餐廳)이라는 러시아 식당에서 먹었다. 이 식당은 1925년에 러시아 사람이 만든 러시아식 레스토랑이다. 식당에 도착하니 이곳에도 빵이 유명한 듯 밖에서는 빵을 따로 포장 판매하고 있었다. 식당 안으로 들어가 2층에 자리를 잡았다. 식당 내부는 기둥과 벽, 천장이 금색으로 장식되어 있었고 화려한 샹들리에는 궁전에 들어와 있는 착각이 들 정도로 아름다웠다. 가장 인기 있는 메뉴를 물으니 항아리에 들어간 새우찜 과먼샤런(罐焖蝦仁) 요리와 러시아식 수프인 홍차이탕(紅菜湯)을 추천하여 과먼샤런과 홍차이탕을 주문하고 밖에서 팔던 빵도 주문했다. 주문한 음식이 나왔는데 내 입맛에 잘 맞았다. 하얼빈에 러시아 식당이 많다고 하니 다른 식당에서도 러시아 음식을 먹어보고 싶어졌다.

하얼빈역(哈爾濱站)과 성·이베론 성당(聖 · 伊維爾教堂)

식사를 마치고 중앙대가에서 택시를 타고 하얼빈역으로 이동했다. 중앙대가에서 3.2km 떨어진 하얼빈역은 우리나라 사람에게 1909년 10월 26일 안중근 의사의 하얼빈 의거 장소로 잘 알려진 곳이다. 하얼빈역에 도착하니 안중근 의사가 이토 히로부미를 주살(誅殺)하고 나서 외쳤던 "코레아 우라!"의 우렁찬 목소리가 귓가에 울리는 듯했다. 하얼빈역은 한국 역사에 뜻 깊은 장소지만, 하얼빈 사람들에게 특히 의미 있는 장소다. 작은 어촌 마을에 불과했던 하얼빈이 중러밀약(中俄密約)으로 철도 부설권을 얻은 러시아에 의해 기차역이 들어서면서 도시로 발전했기 때문이다. 1899년 10월에 지어진 하얼빈역은 본래 이름은 송화강역이었다가 1903년 7월에 하얼빈역으로 바뀌었다. 당시 하얼빈역은 중국과 러시아가 공동으로 건설한 동청철도의 중심역이었다. 이로 인해 하얼빈은 큰 도시로 발전하게 되었고 많은 외국 사람들의 유입으로 국제도시로 발돋움할

하얼빈역과 성 · 이베론 성당

수 있었다. 하얼빈역 남(南)광장 지하 택시 승차장에서 내려 에스컬레이터를 타고 지상으로 올라왔다. 베이지색의 유럽식 건물인 하얼빈역은 아치형으로 된 녹색의 유리문이 중앙에 있고 진녹색의 격자 창살의 창문이 있다.

안중근 의사와 함께 연상되는 '하얼빈'이란 역 이름이 가슴을 뜨겁게 달군다. 역 정문을 바라본 방향에서 왼쪽으로 돌면 바로 안중근 의사 기념관이 있다. 안중근 의사의 생애와 업적, 하얼빈 의거, 그의 저술 및 유묵 등의 모든 자료를 관람할 수 있다. 또한 기념관 안의 창문을 통하여 하얼빈 의거의 장소도 직접 눈으로 확인할 수 있다.

제홍교에서 바라본 하얼빈역 철로

하얼빈역 남광장에서 북광장까지 이동하는 도중 제홍교(霽虹橋)라는 다리를 건넜다. 유럽식으로 지어진 다리가 고풍스러웠다. 다리 옆으로 하얼빈 기차 레일들이 한눈에 다 내려다 보였다. 안중근 의사도 하얼빈 의거 전에 거사를 준비하며 이 제홍교에서 하얼빈역을 탐색했다.

북광장에 도착하니 남광장에서 보았던 역 건물과 똑같이 생긴 역 건물이 보였다. 남광장과 다른 점은 북광장 역 건물 왼쪽에 러시아식으로 지어진 성·이베론 성당(聖·伊維爾教堂)이 있다는 점이다. 아담한 크기의 성당은 살구색과 붉은색, 흰색의 알록달록한 외벽 위로 초록색 양파 모양의 돔이 러시아식 건축미를 자랑하고 있었고 그 위에 금색의 십자가가 빛나고 있었다. 이 성당은 1908년에 러시아 군용 정교회 성당으로 지어졌다. 하얼빈으로 온 러시아 군인들이 돈을 모아 도리구 제홍가 공장 골목에 이 성당을 짓고, 중국에서 일어난 의화단사건을 진압하다가 사망한 러시아 장병들과 1904년 러일전쟁(1904-1905)으로 사망한 러시아 장병들을 위해 예배 드렸다.

이 성당의 벽에는 전사자들의 이름을 새기고 지하에는 전사자들의 유골을 묻었다. 러시아식 건물 양식의 특징인 양파 모양의 돔이 5개가 있었는데 문화대혁명 당시 지붕이 파괴되어 현재는 한 개만 남아있다. 2017년 주택가였던 곳을 하얼빈역 북광장으로 기획하고 개조할 당시 이 성당을 북광장 쪽으로 옮겨와 재건축하였다.

중러밀약은 러시아에 유리한 불평등 조약이었지만 하얼빈이라는 작은 마을에 하얼빈역이 생기면서 오늘의 하얼빈 도시가 생기는 시발점이 되었다. 당시 철도를 건설하기 위해 하얼빈으로 온 수많은 러시아 노동자들이 예배를 드리기 위해 성당을 지었고 그 성당들이 지금은 하얼빈 관광의 중요한 한 축을 이루고 있다.

성·소피아 성당(聖・索菲亞教堂)

성·소피아 성당은 하얼빈을 대표하는 건축물 중 최고로 꼽힌다. 하얼빈의 기념품 가게마다 성·소피아 성당의 모형, 자석, 엽서를 팔 정도로 성·소피아 성당은 하얼빈 여행의 필수 코스이다.

성·소피아 성당은 도리구 소피아 광장에 있어서 하얼빈역과 매우 가까운데(약 1.4km), 하얼빈역 북광장에서 도보로 15분쯤 걸린다.

해 질 무렵의 성·소피아 성당은 석양과 함께 아름다운 자태를 드러내 석양에 반사된 십자가의 금빛이 더욱 성스럽게 보였다. 붉은색 벽돌로 된 외벽과, 그 위에 초록색으로 된 돔과, 그 돔 위의 십자가와, 아치형의 창문들에 화려한 스테인드 글라스의 신비한 모습까지 그야말로 문자 그대로 동방의 모스크라는 것을 실감 나게 말해주고 있었다.

성·소피아 성당은 비잔틴 양식의 러시아 정교회 성당으로, 성 이베론 성당처럼 하얼빈으로 온 러시아 군인들의 예배를 위해 건축되었다. 1907년 목재로 건축하였는데 1923년부터 9년 동안 벽돌로 재건축했다. 1986년에는 하얼빈시 인민정부로부터 보호 건축물로 지정되었고 1996년에는 중국의 중점 문물 보호 단위로 지정되었다.

현재 성당 내부는 하얼빈시 건축 예술 박물관으로 사용되고 있다. 성당 내부가 궁금하여 입장권(15위안)을 끊고 들어가 보기로 했다(내부 관람 시간: 8:00-17:30). 높게 뚫린 돔에 압도되어 한참 바라보다가 돔을 기준으로 열십자(十) 구조의 박물관을 돌아보았다. 박물관에는 옛 하얼빈의 역사가 담긴 흑백 사진

성 · 소피아 성당

들이 밝은 조명 아래 전시되어 있었다.

밖으로 나오니 어느덧 해가 진 뒤라 주위는 어두웠지만 성당은 아름다운 조명을 밝히고 있었다. 아래에서 위로 향하는 조명이 화려했던 낮의 모습과는 반대로 성당을 은은하게 비추고 있었다.

그러나 역사를 들춰보면 아름다운 성당에 대한 감탄은 이내 씁쓸함으로 바뀌게 된다. 화려함 뒤에 대비되는 하얼빈의 아픈 역사 때문이다. 아름다움에 대한 감탄과 쓸쓸함을 안고 과과리대가(果戈裏大街)로 이동했다.

과과리대가(果戈里大街)와 추림공사(秋林公司)

성·소피아 성당에서 약 15분쯤 택시를 타고 남강구 중심에 위치한 과과리대가(果戈裏大街, 궈거리다제, 고골거리)에 도착했다.

니콜라이 거리라고도 부르는 과과리대가는 1901년, 러시아 문호 니콜라이 바실리예비치 고골(Nikolai Vasilievich Gogol, Николай Васильевич Гоголь)의 '고골'을 '果戈里(과과리)'로 음역해 만든 상업 거리이다. 당시 하얼빈에서는 과과리대가처럼 '톨스토이 영화관(托爾斯泰電影院)', '도스토옙스키 학교(陀思妥耶夫斯基學校)', '로마노소프 거리(羅蒙諾索夫街)' 등 러시아 유명 인사의 이름을 따서 건물이나 길 이름을 지었다.

과과리대가에 들어가기 전 근처의 성·알렉세이예프 성당(聖·阿列克謝耶夫教堂)에 먼저 들렀다. 과과리대가와 이어진 길인 사과가(士課街)에 위치한 성·알렉세이예프 성당은 붉은색이 인상적이었다. 외벽뿐 아니라 지붕도 모두 붉은색이다. 전형적인 러시아 건축 양식으로 지어졌다고 하는데 건물에 쓰인 색이 단

과과리대가와 추림공사

조롭지만 금색의 창살이 빛을 내며 웅장함도 내뿜고 있었다. 1931년에 지어진 이 성당은 하얼빈으로 온 러시아 군인들이 예배를 드렸던 러시아 정교회 성당이었으나, 1980년에 복원된 후, 천주교 성당으로 바뀌었고 흑룡강성 문화재 보호 단위로 지정되었다.

중앙대가와 같이 러시아 거리 중 하나인 과과리대가에는 도로 양옆으로 쭉 유럽식 건축물들이 있고 빨간 전차도 있어 마치 몇 세기 전의 유럽, 영화 세트장에 들어온 것 같은 착각이 든다.

러시아의 중동철도 건설과 신도시 계획 건설 계획에 따라, 1901년에 형성된

이 거리는 추림공사(秋林公司, 치우린 회사)를 둘러싸고 러시아 사람들의 상점, 약국 등이 생기면서 점차 상업 거리로 번영하기 시작했고, 초창기에는 경전철이 다녔다. 과과리대가는 유럽식 건축물들이 남아 있는 중앙대가와 또 다른 매력을 풍기고 있었다.

과과리대가를 한참 걷다가 역사가 오래되어 보이는 하얀 유럽식 건물을 발견했다. 은은하게 밝혀진 노란 조명 덕분에 건물에 걸린 '추림공사(秋林公司)'라는 세로 간판이 눈에 잘 들어왔다. '공사(회사)'라는 간판이 없었으면 아마 박물관인 줄 알았을 것이다. 하얼빈 거리를 다니다 보면 '추림(秋林)'이라는 글자를 자주 보게 된다.

추림공사(회사)는 하얼빈 특산품인 거와스나 홍창 등을 제조하는 회사다. 1900년에 설립된 추림공사의 '추림'은 창립자 이반 야코블레비치 추린(Ivan Yakovlevich Churin)의 이름을 딴 것이다.

하얼빈 맥주

추림공사의 창립자는 러시아 상인이었지만 시간이 흘러 일본, 영국, 소련 등의 경영을 거쳐 1953년 중국에 이양되었다. 현재는 중국 내에서 '전국 문명 경영 시범 단위', '국가 품질 관리 상', '전국 노동절 노동상', '중국 상업 명품 기업' 등 각종 영예를 얻는 기업으로 발전했다. 길을 계속 걷다가 '러시아 하원(俄羅斯河園)'이라는 아치형의 입구가 보여 안으로 들어갔다. 강변 양옆으로 늘어선 가게들이 분위기가 좋아 보인다. 그 가게들의 불빛이 강물에 반사된 풍경도 멋지다.

강변을 따라 걷거나 앉아서 쉬는 사람들. 하원은 낭만적인 분위기가 물씬 풍긴다. 나도 강변을 따라 걷다가 가게의 불빛에 이끌려 어느 가게로 들어갔다. 하피(하얼빈 맥주를 중국어로 '하얼빈 피지우(哈爾濱啤酒)'라 발음하는데 현지인들은 이를 줄여서 '하피(哈啤)'라고 한다)를 시켜서 라이브 공연을 하는 가수의 노래와 함께 목을 축였다.

볼가장원(伏爾加莊園)과 성·니콜라스 성당(聖·尼古拉教堂)

다음 날 아침 새소리와 함께 눈을 떴다. 예약해둔 볼가장원(伏爾加莊園, 푸얼자장위엔)에 있는 숙소에서 맞는 아침이 상쾌했다. 볼가장원은 러시아를 테마로 한 자연 문화 공원이다(香坊區成高子鎮阿什河畔哈成路에 위치. 중앙대가에서 약 30km 떨어진 거리). 전체 면적은 약 60여만 평방미터로 넓은 크기만큼이나 탁 트인 경관과 아름답게 조성된 전원 속 조경과 유럽풍의 건물로 인해 마치 동화 속으로 들어온 것 같은 착각이 들게 한다. 이곳에는 러시아 식당이 있

성 · 니콜라스 성당

어서 러시아 음식도 맛볼 수 있고, 공연장에서 펼쳐지는 러시아 무용수들의 공연도 관람할 수 있다. 러시아 민속 체험, 러시아식 목욕탕, 낚시, 숲속 골프, 예술관, 유람선 등 자연 속에서 휴식 및 다양한 체험을 즐길 수 있다. 아름다운 풍경 때문에 이곳에서 결혼식을 올리는 사람들도 있다.

볼가장원 유럽풍 건물

한마디로 자연과 러시아 건축 예술과 레저 시설이 한 곳에 어우러진 복합 문화 공원이라 할 수 있다(관람 시간: 09:00-18:00, 입장료는 100위안, 추가 활동에 따라 비용 추가). 숙소에서 간단히 아침을 먹고 여유롭게 산책을 나섰다. 자작나무 숲속을 걸으니 속까지 뚫리는 기분이었다.

순백의 자작나무 줄기를 보니 영화 〈닥터 지바고〉가 떠올랐다. 산책하다가 운명의 상대를 만날 수도 있을까. 실없는 상상의 나래를 펼치며 걷다 보니 호수 건너편에 러시아식 건물들이 보였다. 잔잔한 호수에 비친 건물들과 나무들의 잠영이 한 폭의 그림 같았다. 다리를 건너니 하얀 지붕에 금색 십자가가 달린 성당이 보였다. 성·니콜라스 성당이었다.

성·니콜라스 성당은 1900년 하얼빈역 맞은편의 홍박광장(紅博廣場)에 니콜라이 2세의 이름을 따서 건설하였다.

이 성당은 하얼빈을 대표하는 건축물이었는데 문화대혁명 때 파손되었다. 홍위병들은 1966년 8월 23일부터 이틀에 걸쳐 각종 기구와 소방차까지 동원하여 성당을 완전히 철거했다. 심지어 무게가 300kg에 달하는 성당의 대종(大鐘)은 나중에 한 농장에서 발견되었다[11].

2006년 7월에 시작한 복원 작업은 본래의 모습을 그대로 재현하기 위해 당시의 설계도면을 모스크바에서 구하고 러시아 건축가를 고용했다. 복원된 성당은 2009년에 개방하여 예술관으로 사용되며 불가장원의 랜드마크가 되었다. 성·니콜라스 성당의 복원은 단순히 침략자들에 의한 치욕적인 역사의 흔적이 아닌, 문화대혁명을 거친 중국의 역사, 하얼빈의 역사가 모두 기록된 것이라고 할 수 있다.

태양도(太陽島)

러시아 공원인 볼가장원에서 나와 이번엔 러시아 휴양지라 불리던 태양도(太陽島, 타이양다오)로 향했다. 태양도는 송화강 북쪽에 위치해 있는 섬으로 강을 건너야 갈 수 있다. 중앙대가에서 멀지 않은 송화강 선착장에 도착했다. 출

---

11) 현재 이 종은 하얼빈 동북열사기념관(東北烈士紀念館)에 있다.

태양도

항 대기 중인 유람선들과 그 옆으로 케이블카 매표소도 보였다. 강을 건너는 방법은 배를 타거나 케이블카를 타는 두 가지 방법이 있다. 다 경험해 보고 싶어서 갈 때는 유람선을 타고 강바람을 맞으며 가기로 하고, 올 때는 케이블카를 타기로 했다.

사방이 뚫린 유람선에 자리를 잡고 시원한 바람을 맞으며 15분 정도 가니 태양도에 도착했다. 태양도는 섬 전체가 관광 공원이다. 배에서 내려서 매표소까지 가는 길이 좀 멀게 느껴져 미니 셔틀버스를 타고 이동했다. 평소에는 입장권이 30위안인데 하얼빈 국제 눈 축제 시즌에는 240위안이라고 한다(관람 시간:

8:00-17:00).

공원에 들어서자 잔디밭에 자리를 깔거나 해먹에서 여유롭게 휴식을 취하는 사람들, 호수에서 배를 타면서 경치를 즐기는 사람들이 보였다. 태양도는 중동철도가 건설되고 러시아 사람들이 하얼빈에 몰려들면서 이곳에 별장을 짓기 시작하며 휴양지로 발전했다.

러시아 사람들은 이곳에서 수영하며 휴식과 여가를 즐겼다고 한다. 태양도는 당시 러시아의 젊은 연인들이 데이트 장소로 인기가 높아 이곳에서 데이트하며 사랑을 꽃피웠다고 한다. 무성하게 자란 다양한 종류의 수목과 화초들로 잘 조성된 이곳에 앉아 새들의 합창을 듣노라니 심신이 좋은 기운으로 꽉 채워지는 느낌이었다.

태양도는 세계 3대 겨울 축제 중 하나인 하얼빈 국제 눈 축제가 열리는 장소로 더 유명하다. 이 기간에는 섬 전체가 전 세계의 유명한 얼음작가들이 와서 환상적인 눈 조각 혹은 얼음 조각 예술작품들을 창조한다. 이곳을 찾는 관광객들은 얼음 미끄럼틀과 눈썰매 등 다양한 눈 축제 행사도 즐길 수 있다.

나는 2013년에 하얼빈을 가로지르는 송화강 얼음 위를 한 달간 걸어서 횡단한 적이 있다. 태양도 안에 하얼빈 상업전문학교가 있는데 그 학교 학생들에게 특강을 다닌 적이 있다. 2미터 두께로 언 송화강을 한 시간을 넘게 걸을 때 느꼈던 추위는 그야말로 동사를 할 수도 있겠다는 절박한 공포였다. 차는 태양도 입구까지만 가는데 돌아가느니 송화강 얼음을 질러가기로 한 것이다. 학교에 도착하면 코와 눈썹은 하얀 성에가 덮이고 고드름이 맺혔다. 그런데도 중학교를 마친 학생들 100여 명이 나를 기다리니 외면할 수가 없었다. 도착하자마자 식당에 가서 뜨거운 김치두부탕(쵀원차이 또푸)으로 몸을 녹이곤 했다.

- 제2장 -

하얼빈에서 한국 독립운동가를 만나다

- 하얼빈에서 한국 독립운동
- 백마 타고 오는 초인 허형식
- 안중근 의사 동지, 독립운동가 정대호
- 하얼빈 독립운동가 후손들 집단 거주지 취원창 가는 길
- 독립운동가 정율성과 정율성기념관

하얼빈에서 한국 독립운동

안중근 의사(義士)는 하얼빈에 자신의 묘를 써달라고 유언을 했다. 만약 안중근 의사의 유언이 실현되었다면 하얼빈은 한국 독립운동의 성지가 되었을 것이다. 하얼빈은 한국 독립운동의 주요한 지역으로 안중근 의사와 직결되어 있다. 그러나 현재 하얼빈과 안중근 의사와 한국과의 사이에 얽힌 역사적 사료를 체계적으로 연구하고 정리한 내용은 거의 없다. 나는 이 책에서 1949년 이전의 신중국 성립 이전 시기 하얼빈에서의 한국 독립운동 부분을 다루려고 한다.

1905년 러일전쟁 후 일제가 뤼순(旅順)과 다롄(大連)지역을 강제로 조차하면서 동북지역은 일본 침략의 손아귀에 있었다. 뤼순을 기점으로 만주 침략의 교두보를 하얼빈에 두고 있던 일제는 1931년 '9.18 만주 사변'을 일으키면서 동북지역에 위만주국을 두고 강제 점유했다. 이러한 일련의 역사는 동북지역 전역에 일제에 저항하는 한국 독립운동 항일투쟁의 전장이 되었다.

중국 하얼빈지역에서의 한중 항일투쟁은 단독으로 또한 한중 연합으로 이루어졌다. 하얼빈지역에서 한국 독립운동은 다양한 형태를 띠고 있다. 서명훈(徐明勳) 선생은 이를 4가지로 분류하였는데[12] 한국 의병, 한국 독립군, 동북 항일

12) 광복 70주년 기념 학술회의, 중국 동북지역에서의 한중 항일투쟁, 2015년 10월 23일, 하얼빈시 조선 민족예술관, 중한연합항일의 역사를 공동 명기하자. 서명훈

유격대, 동북항일연군으로 구분 지었다. 이는 한국군 단독과 한중 연합의 성격으로 구분지어 설명할 수 있다.

첫째, 한국 의병이다. 가장 중요한 의병은 안중근 의사다. 안중근 의사 하얼빈 의거에 대한 중국인의 평가를 보면 다음과 같다.

의거 후 상하이 「민우일보」는 사설을 발표하여 "고려의 원수는 우리의 원수이다. 삼한에는 사람이 있어서 일본이 길게 내 뻗은 팔다리를 꺾었다. 비록 한인이 자기의 원수를 갚았다고 하지만 역시 우리의 원수를 갚은 것이 아닌가, 우리의 행운이다"라고 썼다.

『대동보』 1910년 [제13권, 제6기, 26페이지]

안중근이 죽을 때까지도 동토(東土)의 평화를 잊지 않았다. 이토를 격살한 한국인인 안중근이 사형에 임하기 전에도 동토의 평화를 소망으로 삼았다.

『해사(톈진)』 1932년 1월 15일 [제6권 제3기, 29페이지] 〈만어(蠻語)〉 현(玄)에 의하면, "현재 우리나라가 고려의 전철을 밟고 있는데 전국에서 안중근 같은 의사가 없다. 내가 천하가 혼란할 때까지 이 시를 다시 쓰지 못했다. 슬프도다! 슬프도다! 국가가 이처럼 멸망 가고 있는데 어떻게 밤낮으로 창문 앞에 앉고 시를 쓸 수 있는가? 장검아, 돌아가자꾸나! 내가 어떻게 안심하게 돌아가는가?"라고 했다.

더 나아가 중국인들이 존경하는 주은래(周恩來, 1898-1976) 총리는 "중일(中日) 갑오전쟁(甲午戰爭, 청일전쟁) 이후, 중조(中朝) 인민이 일본 제국주의 침략을 반대하는 공동 투쟁은 본 세기 초 안중근이 하얼빈에서 이토 히로부미(伊藤博文, 1841-1909)를 주살한 때부터 시작되었다."고 지적했다. 안중근 의거에 대한 중국인의 진솔한 마음을 알 수 있다.

둘째, 한국 독립군이다. 1920년부터 1925년까지 6년간 일본 군경을 425차례 습격, 사망자 39명, 부상자 4만 7,500명이라고 동북지구 조선인 항일역사 자료집 제11권 115면에 기재되어 있다. 많은 전투가 있지만, 하얼빈 보위전을 보면 다음과 같다. 1930년 7월 한국의 애국지사 홍진(洪震, 1877-1946), 이청천(李靑天, 1888-1957) 등이 상지시 위하진에서 '한국 독립당'을 건립하고 '한국 독립군'을 창건했다. 이청천이 총사령직을 담임하였으며 동북 각지에서 군인을 모집하여 총 병력이 3,000명에 달해 사방에서 일본군을 습격했다. 중국 호로군(護路軍) 사령관 정초(丁超, 1884-1951)와 공동으로 작전을 수행했다. 1932년 2월 5일 일본이 하얼빈을 점령한 후 총 사령부는 의란(依蘭)에 설치했다. 하얼빈을 공격하여 독립군은 이청천이 800명, 오광선(吳光鮮, 1896-1967)이 500명, 신숙(申肅, 1885-1967)이 700명을 거느리고 중국군대와 연합 작전을 펼쳤다.

3월 초 이청천 부대는 빈현(賓縣)을 수복하고 2,000여 명의 일본군을 섬멸했다. 3월 15일 오광선 부대는 아성을 공격하여 5시간의 격전으로 아성을 수복했다. 신숙이 거느린 독립군은 오상, 주하현(珠河縣)(현 상지시(尙志市))을 한 달간 대일작전을 전개했다. 1932년 8월 14일 하얼빈 인근 쌍성을 공격하여 한중연합군은 쌍성을 완전히 점령했다. 바로 쌍성보 전투이다. 한국 독립운동가로는 김동삼(金東三, 1878-1937), 남자현(南慈賢, 1872-1933), 김만수(金萬秀, 1892-1924) 등이 있다. 국가 보훈처 공훈전자 사료관에 기록된 독립운동가 몇 분의 행적을 소개하면, 김헌(金軒, 1909-1935)은 1929년 9월 중국 길림성 하얼빈 성내에서 고려혁명군 결사단에 가입하고, 이듬해 1월 동지에서 군자금 모집 등 조선의 독립을 위한 활동을 전개했다가 체포되어 징역 5년을 선고 받고 옥중 순국 하셨다. 박치도(朴致道, 1884-1926)는 경상북도 영덕 출생으로, 1924년 4월 6일 하얼빈 총영사관의 순사부장 구니요시(國吉精保)를 처단하고, 1926년 취원창(聚源昶)에서 자결했다.

김만수(金萬秀, 1892-1924)는 경상북도 안동 출신으로, 1924년 4월 7일 임무를 띠고 하얼빈에 체류 중 일경에 발각되어 교전 중 하얼빈 일본총영사(日本總領事) 구니요시(國吉精保), 형사부장(刑事部長) 마쓰지마(松島) 등 10여 명을 사살하고 현장에서 장렬한 최후를 마쳤다.

고강산(高崗山, ?-1931)은 1930년 중국 영안현에 근거를 둔 조선공산당 총사령국 한인청년동맹에 소속되어 공산주의 선전 활동을 했으며 같은 해 5월 하얼빈에 있는 일본총영사관 습격사건에 참여했다가 체포되어 고문을 받던 중 순국했다. 황덕환(黃德煥, 1895-1929)은 원산 출생으로, 1919년 3월 상하이 임시정부 군자금 조달차 입국하다가 부산항에서 체포되어 대구법원에서 대구법원에서 5년형을 언도 받았다. 대구형무소에서 3년 복역 후 가출옥하여, 1923년 1월 신민부 군정위원회부위원장 별동대장으로 일본 경찰에 투쟁했다. 1924년 9월 별동대원을 대동하고 악질 주구(走狗)인 해림 조선민회회장인 배두산(裵斗山)을 처단했다. 1926년 9월 하얼빈에서 무기구입 운반 중 중일 합동 관헌에게 피체되어 다렌으로 압송되었다가, 1926년 10월 대련지방법원에서 무기형 언도를 받았다.

1926년 9월 상소하여 뤼순고등법원에서 무기형 언도를 받고 뤼순감옥에서 일인 죄인(日人罪人) 간수를 타살했다. 1929년 5월 사형 판결받아 1929년 9월 20일 뤼순형무소에서 사형당하셨다. 이외에도 부지기수의 독립운동가가 있다.

셋째, 동북 항일 유격대다. 1931년 말 중공 만주성위는 심양에서 하얼빈으로 이전해 왔다. 한인 양림(楊林)[13]이 군사 사업을 주관하는 만주성 군사 위원회 서기로 임명되었다. 동북항일 유격전을 선두 지휘했다. 1933년에 건립한 '반일 요하 유격대' 대장에 최석천(崔石泉, 1900-1976) 정치부 주임에 김문형(金文亨)

大正十一年刑控第二九七號

判 決

全羅南道靈光郡郡南面
陽德里
當時住所不定無職
黃 德煥
當二十五年

右ノ者ニ對スル大正八年制令
第七號違反被告事件ニ付
大正十一年四月四日釜山地方
法院ニ於テ言渡シタル有罪ノ
判決ニ對シ被告ヨリ控訴ノ
申立ヲ為シタルヲ以テ朝鮮總
督府檢事里見寬二干與
審理ヲ遂ケ左ノ如ク判決ス

主 文

황덕환 판결문

이었고, 대원 다수가 한인이었다. 1932년 10월 10일에 건립한 '주하현 항일 유격대'는 항일 명장 조상지(趙尙志, 1908-1942)가 대장, 이복림(李福林, 1907-1937)이 당 지부 서기로, 대원 13명 중 한인이 9명이었다. 그리고 영안(寧安) 유격대, 탕원(湯原) 유격대 대부분이 창건 초기에는 유격대의 책임자와 대원이 대부분 한인이었다.

넷째, 동북 항일연군이다. 1936년 1월 항일 유격대를 기반으로 발전한 동북 인민혁명군, 동북 항일 의용군, 항일 구국군, 항일 자위군, 항일 산림군 등 각 항일 부대들이 연합하여 동북 항일연군을 건립했다. 동북 항일연군은 14년간 중국 동북을 침략한 일제에 장기적인 전쟁을 했다. 동북 항일연군의 구성 인원을 보면 한중 연합군이었다. 동북 항일연군에 참가한 흑룡강성 정협 부주석을 역임한 이민(李敏)[14]에 의하면, "동북 항일연군이 제일 많을 때는 3만 명이나 되었는데 그중 조선인 지휘관과 군인이 1만 5천 명이었다."고 했다. 동북 항일연군의 창시자인 주보중(周保中)[15]은 "항일연군 제2군의 90%는 조선인으로 구성되었고 제7군은 거의 전부가 조선인이며 제3군의 건립도 조선인이 중요한 역할을 했다.

제1군의 기초는 반석, 해룡 유격대로서 조선인이 상당수를 차지하고 지도적 지위에 있었다[16]."고 말했다. 중국에서 전국적으로 항일영웅 열사 300명이 선출되었는데 그중에 허형식(許亨植), 이홍광(李紅光)[17], 이학복(李學福)[18] 등 조선

---

13) 양림(1901-1936),본명은 김훈(金勛). 양녕·비스티·양주평·주동무 등 여러 이름을 썼다. 평안북도 애국지사의 가정에서 태어났다. 평양고보에 다닐 때 반일 애국학생운동에 적극 참여. 1919년 아버지와 함께 평양에서 3.1운동에 참여했다. 1919년 가을 중국 지린성 신흥무관학교에 들어간다. 1931년 말 하얼빈 중국 공산당 만주성 위원회 군사 위원회 서기, 동북 항일 유격 전쟁의 선두 지도자, 1934년 10월 2만 5천리 대장정에 조선인으로 참가한 사람은 양림과 무정 두 사람뿐이었다.

14) 이민(1924-2019),흑룡강성 오동하 출생, 부모는 황해도 사리원 살다가 흑룡강성 삼강평원 정착. 10년간 흑룡강성 성장을 지낸 진뢰(陳雷·천레이)의 부인으로 조선족이며, 중국인민정치협상회의 흑룡강성 부주석직을 역임했다. 이민 여사는 동북항일연군 노전사로 칭해진다.

15) 주보중, 동북항일연군 군장이었다. 일본관동군의 대 토벌에 밀려 소련으로 건너가 동북항일연군교도려(소련 극동군 88정찰려단)로 명칭을 바꾸고 려장(려단장)이 되었다.

16) [중국항일전쟁과 한국 독립운동] 제189면

17) 이홍광(1901년-1935년), 경기도 용인 출생, 본명은 학규(學奎). 1933년 8월에는 동북인민혁명군 제1군의 발전에 결정적인 역할을 한 호란진전투를 승리로 이끌었다. 9월 18일 남만유격대가 동북인민혁명군 제1군 독립사로 참모장으로 활약했다.

18) 이학복, 본명 이학만, 별명 이보만, 1901년 음력 12월 11일 길림성 연길현 산채구 노후산톤 한인 농가 출생, 12살 부친 병사, 15살 모친과 형을 따라 흑룡강성 요하현 대가하로 이사했다. 1938년 8월 8일 38세 병사. 이학복은 조선족, 동북항일연군음 호요지구 항일무장의 공헌을 했다. 요하 소남산 위치한 '요하항일 유격대 기념비' 비문에 소개되어 있다.

인 항일영웅이 포함되어 있다. 하얼빈 동북 열사 기념관에도 양림, 이추악(李秋岳)[19], 이복림, 허형식 등 32명의 조선인 항일 열사의 공적이 전시되어 있다. 허형식은 동북 항일연군 제3군 군장, 제3로군 총참모장으로 수많은 전투를 지휘했다. 그는 경북 구미시 출신으로 의병 허필(許苾)의 아들이며, 허위(許蔿, 1854-1908)의 당숙이다.

백마 타고 오는 초인 허형식(許亨植, 1909-1942)

동북지역의 항일역사를 기록한 동북열사기념관을 관람하며 조선인이었음에도 불구하고 이곳에 열사로 소개되고 있는 조선인 열사가 적지 않음을 확인하게 되었다. 그중 허형식은 중국에서 항일운동의 영웅으로 항일운동의 영웅으로 높이 평가받고 있는데 우리에게는 낯선 독립운동가이다.

"다시 천고(千古)의 뒤에 / 백마(白馬) 타고 오는 초인(超人)이 있어 / 이 광야에서 목놓아 부르게 하리라."[20]

허형식에 대해 놀라운 사실 중 하나는 우리가 잘 알고 있는 항일 저항시인

---

19) 이추악(李秋岳, 1901-1936)은 1901년 평안남도 출생, 본명은 김금주(金錦珠)이며, 한국의 독립운동가이자 중국 공산당에 가입한 최초의 여성이다. 독립운동가 양림의 아내다. 동북 만주벌판의 항일투쟁사에서 '항일 여영웅'으로 추앙받는다.

20) 이육사 시인의 시 「광야」에서 일부 발췌.

이육사(李陸史, 1904-1944)의 시 「광야」에서 언급된 '백마 타고 오는 초인'이 바로 허형식 장군이라는 것이었다. 이육사 시인의 어머니는 왕산(旺山) 허위의 조카로 허형식은 이육사의 외당숙이다. 허형식은 무장 항일운동 당시 자신의 애마인 흰 말을 타고 전장을 누비며 '백마를 탄 군장'으로 불렸다. 이러한 그의 모습을 이육사 시인이 「광야」에서 '백마 타고 오는 초인'으로 묘사한 것이다.

허형식의 집안은 독립운동가 가문으로 한말(韓末) 대표적 의병인 왕산 허위를 비롯하여 허훈(許薰, 1836-1907), 허형(許蘅, 1843-1922), 허겸(許蒹, 1851-1940) 등 많은 항일독립운동가를 배출했다.

특히 의병 활동을 하다가 경성 감옥에서 교수형을 당해 순국한 의병장 허위[21]에 대해 안중근 의사는 뤼순 재판정에서 "허위와 같은 진충갈력(盡忠竭力), 용맹한 기상이 2천 만민에게 있었다고 한다면 오늘의 국욕(國辱)은 당하지 않을 것이다. 자고로 고관은 자기만을 알고 나라가 있는 것을 모르는 자가 많은데, 그는 아니기 때문에 관계(官界)의 고등(高等) 충신이라 할 수 있을 것이다." 라고 평하였다.[22]이렇듯 항일독립운동가 집안에서 태어난 허형식의 항일독립운

---

21) 허위(1854~1908)는 영희전(永禧殿) 참봉(參奉), 성균관(成均館)박사, 중추원(中樞院) 의관(議官), 평리원(平理院) 재판장(裁判長), 의정부(議政府) 참찬(參贊), 비서원(秘書院) 승(丞) 등의 벼슬을 지내다 을미사변(乙未事變) 이후 창의(倡義)했다. 13도창의군 군사장으로 의병 활동 및 친일 매국노들을 처단했다. 1908년 일본군 헌병대에 체포되어 경성감옥(현, 서대문형무소)에서 54세에 순국했다.

22) 「安應七 제5차 진술 내용」(1909. 12. 5.)

동가로서 삶은 운명이었다고 할 수 있을 것이다. 허위의 순국 이후 허위의 가족들은 중국 동북으로 망명하였는데 허위의 사촌 동생인 허필(許苾), 즉 허형식의 부친도 허형식이 6세 되던 해인 1915년에 가족과 함께 중국 동북으로 망명하여 독립운동을 지원했다.

허형식은 1909년 경상북도 선산군 구미면 임은리(현재의 구미시 임은동)에서 허필의 차남으로 태어났다. 호적에는 허연(許埏)으로 올라 있고 아명인 허극(許克)으로 불리다가 만주로 망명 후에는 허형식으로 개명했다. 1929년 중국 공산당에 입당한 이후에는 모친의 성을 따라 '이희산(李熙山)' 혹은 '이삼룡(李三龍)'이라는 이름도 사용했다. 1929년 허형식은 하얼빈시 빈현(賓縣)에서 혁명활동을 하다가 1930년 중국 공산당에 가입했다. 그해 5월 1일 하얼빈에서 노동절 반일 시위를 이끌고 하얼빈 일본총영사관을 점령했다는 죄목으로 투옥되었다가 감옥에서 나온 뒤, 1931년 만주사변 이후에는 빈현, 탕원(湯原), 주하(珠河, 현 상지(尚志)) 등지에서 반일유격대를 조직 및 항일투쟁을 이끌었다.

1934년 6월에 중국 동북 반일유격대 하얼빈 동부 사단의 정치 지도원과 제1대 부대장을 맡아 주하(珠河) 항일유격지구를 창설하는 데에 참여했다. 1935년 1월부터 중국 동북 인민혁명군 제3군 단장, 사단의 정치부 주임을 역임했다. 1937년 6월에는 동북항일연군 제9군 정치부 주임을 역임하면서 벌리(勃利), 방정(方正), 의란(依蘭) 일대에서 항일 유격전을 벌였다. 이때 단기 훈련반 운영 및 100여 명의 핵심 장병 양성 등을 통해 군사들의 정신력과 부대 전력을 강화하는 데에 중요한 역할을 했다. 1938년에는 제3군 신편 3사단 사단장을 전임하며 3사단과 5사단 부대를 정돈했다.

1939년 이후 동북항일연군 제3로군 총참모장, 제3군 군장, 제12부대 정치위원을 역임하며 송연평원(松嫩平原)에서 항일 유격전을 벌여 여러 전투에서 승리를 거두었다. 1940년대 초 일제의 만주국 치안숙청작업이 극심해지자 대부분의 동북항일연군은 소련 영내로 넘어갔으나 허형식 장군은 한 차례도 소련 영내로 넘어가지 않았다.

1940년에는 부대의 위기와 고난 속에서도 전선을 지키며 소부대 활동을 하며 전투를 지속했다. 동시에 대중을 동원하여 많은 항일구국회조직을 설립하여 새로운 항일 역량을 구축했다. 1942년 8월 3일 경성(慶城), 현 흑룡강성 경안(慶安)의 청봉령(青峰嶺)에서 만주국 토벌대에 의해 장렬히 전사하였는데 당시 그의 나이는 33세였다. 모두가 동북을 떠나 소련 영내로 몸을 피했지만 독립운동가 집안의 후손으로서, 또한 자신마저 떠나면 누가 남아서 일제에 맞서겠냐는 마음으로 죽음을 두려워하지 않고 끝까지 무장항일투쟁을 했다.

반면 조선인 출신이었던 김일성, 최용건(崔庸健, 1900-1976), 김책(金策, 1903-

1951)도 동북항일연군 간부로 항일운동을 했지만 이들은 동북에서 소련 영내를 오가며 활동을 하여 후에 북한 정권을 수립에 중요한 중요한 역할을 했다.[23] 하지만 죽음을 각오하고 중국 동북지역에 남았던 허형식은 일본군과의 전투를 견지하다가 자신을 희생했다. 이것이 바로 그를 '만주 제일의 마지막 파르티잔'이라 부르는 이유이다. 왕산 허위의 조카로 독립운동가 집안에서 태어난 허형식은 이렇듯 난세에 조국의 독립을 위해 불과 33살의 젊은 나이에 자신을 희생했다.

동북항일연군 제3로군 총참모장, 제3군 군장, 제12부대 정치위원을 역임하며 김일성, 최용건, 김책과 대등한 고위 간부였던 그는 일제의 극심한 토벌에도 물러서지 않고 전선을 지키며 죽는 날까지 용맹하게 일제에 맞선 항일독립 영웅이었다. 중국에서는 허형식 장군을 항일무장투쟁의 영웅으로 그의 공적을 인정하여 2014년 9월 1일, 허형식은 중국 정부가 공포한 첫 번째 유명 항일 영열과 영웅 명록(第一批300名著名抗日英烈和英雄群體名錄)에 등재되었다.

또한 허형식은 하얼빈 동북열사기념관과 빈현 북만주성위원회 기념관에 소개되고 있을 뿐만 아니라, 허형식이 희생된 경안(慶安)에는 허형식 희생지 기념비가 세워져 그를 추모하고 있다.[24]

---

23) 김일성(金日成, 1912-1994), 서철(徐哲, 1907-1992), 최현(崔賢, 1907-1982), 오백룡(吳白龍, 1914-1984), 임춘추(林春秋, 1912-1988), 안길(安吉, 1907-1947), 최용건(崔庸健, 1900-1976), 김책(金策, 1903-1951) 등

24) 흑룡강성 수화시 경안현 대라진 동산촌(黑龙江省绥化市庆安县大罗镇東山村)에 위치.

조선인 출신이었지만 용맹하게 군대를 이끌며 항일독립운동을 전개한 그의 행적과 정신을 칭송하여 영웅으로 기념하고 있는 것이다.

조국의 분단 역사로 인해 사회주의 계열의 독립운동가와 그들의 행적이 우리에게는 잘 알려지지 않아 낯설지만 허형식과 같이 조선인으로서 조국의 독립을 위해 중국 땅에서 헌신한 분들도 남과 북을 넘어 우리가 기억해야 하지 않을까. 저기 저 멀리 광야에서 오는 백마 탄 초인의 소리에 귀를 기울여 본다.

1936 · 1937년 경 동북항일연군내 주요 한인 간부 현황[25)]

부대		결성날짜	주요 한인 직책과 명단
제1로군	1군	1936.7.	참모장 안광훈(安光勳), 1사 참모장 이민환(李敏煥), 2사 참모장 이희민(李希敏)·이흥소(李興紹), 정치부 주임 전광(全光, 본명 오성륜), 8단장 현기창(玄基昌), 3사정치부 주임 유만희(柳萬熙)
	2군	1936.3.	정치부 주임 전광, 4사 사장 안봉학(安鳳學), 참모장 박득범(朴得範), 1단장 최현(崔賢), 정치위원 임수산(林水山), 제6사 사장 김일성(金日成), 7단장 김주현(金周賢), 정치위원 홍범(洪範)·김재범(金在範), 독립려 1단장 최춘국(崔春國)
제2로군	4군	1936.4.	정치부 주임 황옥청(黃玉淸), 정치주임 강산(康山), 2사 부사장 겸 4단장 이학복(李學福), 정치부 주임 최영화(崔榮華), 참모장 최용건(崔庸健), 4사 정치부 주임 박덕산(朴德山)
	5군	1936.2.	2사 4단 정치위원 김광협(金光俠), 5단 정치위원 박동화(朴東和), 3사 8단 정치위원 강신태(姜信泰), 경위려 1단 정치위원 강신일(姜信一)

	7군	1936.11.	대리군장 최용건, 군장 이학복, 군·당 위원회 : 집행위원 김철우(金鐵宇)·특별위원 김품삼(金品三), 1사 정치위원 이일평(李佾平), 3단장 김창해(金昌海), 2사 참모장 김탁(金鐸), 4사장 김세창(金世昌)
	8군	1937.7.	1사 정치위원 및 3사 정치부 주임 김근(金根)
제3로군	3군	1936.8.	군장 허형식(許亨植), 정치부 주임 김책(金策)
	9군	1937.1.	정치부 주임 허형식
	11군	1937.10.	정치부 주임 김정국(金正國)

25) 국사편찬위원회 홈페이지 자료 참고.

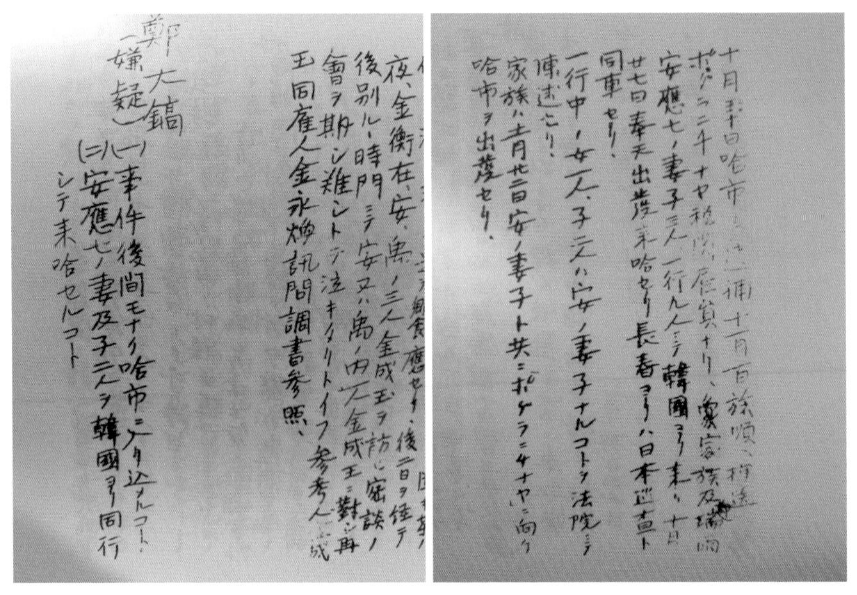

十月二十四日哈市ニ於テ逮捕十一月一日旅順ヘ押送
ポグラニチナヤ税関雇員ナリ、家族及
安應七ノ妻子三人一行九人ニテ韓國ヨリ来リ十月
廿七日奉天出發来哈セリ長春ヨリハ日本巡査ト
同車セリ。
一行中ノ女二人子二人ハ安ノ妻子ナルコトヲ法院ニテ
陳述セリ。
家族ハ廿四日安ノ妻子ト共ニポグラニチナヤニ向ケ
哈市ヲ出發セリ。

夜、金衛在、安、禹ノ三人金成玉ヲ訪ヒ密談ノ
後別ルヽ時門ニテ安又禹ノ内一人金成玉ニ對シ再
會ヲ期シ難シトテ泣キタリトイフ参考人金成
玉同雇人金永煥訊問調書参照、

鄭大鎬
（嫌疑）
（一）事件後間モナク哈市ニ入リ込ミタルコト
（二）安應七ノ妻及子二人ヲ韓國ヨリ同行
シテ来哈セルコト

독립운동가 정대호 선생 사료(일본 외교사료관)

안중근 의사 동지, 독립운동가 정대호

1909년 10월 27일 하얼빈 레스야나가 28호(현 삼림가(森林街) 34호(號)), 안중근 의사 하얼빈 의거 후 한국인 네 명이 방문했다. 이 집은 안중근 의사가 전날까지 묵었던 곳으로 하얼빈 한민회장 김성백의 집이다. 이 집을 찾아온 사람 네 명은 3년 동안 안중근 의사가 풍찬노숙(風餐露宿)을 하면서 만남을 고대해 온 안중근 의사의 아내 김아려(金亞麗) 여사, 안중근 의사의 동생 안정근(安定根, 1885-1949), 막냇동생 안공근(安恭根, 1889-(1940))과 안중근 의사의 가족을 모시고 온 정대호(鄭大鎬, 1884-1940)였다.

안중근 의사는 거사 직전 하얼빈 수분하(綏芬河) 세관 서기로 근무하는 동지 정대호에게 아내와 자식들을 하얼빈으로 데려올 것을 부탁했고 또한 처자를 부조(扶助)해 줄 것도 부탁했다는 내용이 안중근 관련인들을 조사한 1909년 12월 4일 비밀사찰문서통감이 고무라(小村壽太郎, 1855-1911) 외무대신에게 보고한 보고서에 나타나 있다. 하지만 하루 사이를 두고 안중근 의사와 안중근 의사의 가족은 서로 비껴가고 말았다.

우덕순(禹德淳, 1876-1950), 조도선(曺道先, 1879-?), 유동하(劉東夏, 1892-1918)는 안중근 의사의 독립운동과 하얼빈 의거를 도왔던 동지들로 잘 알려져 있다. 이들 외에도 우리가 기억해야 할 안중근 의사를 도운 또 다른 동지가 있으니 바로 정대호 선생이다. 안중근 의사의 아내와 두 동생은 정대호 선생의 보살핌으로 안중근 가족의 구속 위기를 피할 수 있었다.

정대호 선생은 서울 종로에서 태어나, 1907년 진남포(鎭南浦)로 이주하여 안중근의 이웃에 살면서 의형제를 맺고 뜻을 같이하였다. 정대호 선생은 안중근 의사가 하얼빈 의거를 할 당시 하얼빈 세관 수분하지서(綏芬河支署)에서 근무하고 있었는데 안중근 의사의 하얼빈 의거를 후원했다. 안 의사의 하얼빈 의거 후에도 그의 가족들을 돌봐 주었다. 안 의사의 자서전인 『安應七歷史(안응칠

대전 현충원에 안장된 정대호

역사)』에 따르면 1909년 1월(음력) 엔치아(延秋) 방면으로 돌아온 안중근 의사가 정대호 선생의 편지를 받고 난 후 고향 집 소식을 자세히 들을 수 있었으며 안 의사가 그에게 자신의 가족들 데리고 오는 일을 부탁했다고 쓰여 있다. 정대호 선생이 안중근 의사의 가족을 데리고 왔으나 안타깝게도 안 의사의 가족들은 하얼빈 의거 다음 날에야 하얼빈에 도착했고 결국 안 의사는 가족들을 만나지 못했다. 이후 정대호 선생은 하얼빈 의거의 연루자 15인 중 1인으로 체포되었다가 뤼순감옥으로 압송되었으나 증거불충분으로 석방되었다. 석방된 후 1912년에는 만주리 국민회 지방총회의 부회장을 역임하다 고향으로 돌아왔다. 1916년 다시 천진(天津)으로 망명했다. 1919년에는 상하이(上海)에서 임시정부에 참여하여 신석우(申錫雨, 1895-1953)·이기룡(李起龍, 1885-1951)과 함께 대한민국 임시의정부 경기도 대의원(代議員)으로서의 활동했다. 동년 11월에는 대한적십자 회원 모집을 위한 3·1대(隊長 閔濟鎬)에 윤보선(尹普善)·신두식(申斗湜, 1896-?)·이영근(李永根)·윤현진(尹顯振, 1892-1921) 등과 함께 참여했다. 1921년에는 임시정부 학무총장 김규식(金奎植, 1881-1950)을 중심으로 여운형(呂運亨, 1886-1947)·여운홍(呂運弘, 1891-1973)·조동호(趙東祜, 1892-1954)·민병덕(閔丙德)·서병호(徐丙浩, 1885-1972) 등과 함께 신한청년당에 가입하여 신한청년보(新韓靑年報)를 발행하는 등 한국의 독립운동을 위해 헌신했다.

대한민국 정부는 1991년 정대호 선생의 독립운동 공적에 애국장을 추서했다. 안중근 의사의 친구이자 의형제인 독립운동가인 정대호 선생을 잊지 말아야 한다는 다짐으로 지난여름 말복(2019. 8. 11.)에 정대호 선생 묘소를 찾아갔다.

다소 더위는 누그러졌지만 여전히 햇볕이 강했다.

대전 현충원은 계룡산 초입에 위치해 있다. 대전 지하철역 현충원에서 내려

도보로 십 분만 가면 된다. 대전 현충원에서 하얼빈까지는 1,051km이다. 안중근의 부탁으로 안중근 의사 가족을 하얼빈으로 모셔 간 정대호 선생이 여기에 안장되어 영면하고 계신다. 정대호 선생은 러시아 경찰의 조사에서 안중근 의사의 부인 김아려 여사가 자신의 누나라고 진술하여 무사할 수 있었다. 수년 전 8월 8일 정대호 선생의 후손이신 이성호 선생(손녀 사위)을 통하여 대전 현충원 안장 소식을 접했다. 정대호 선생은 애국지사 제4 묘역 145번에 독립운동가 정대호 선생이 잠들어 계신다. 내가 사는 대전과 가까운 곳에 계신 줄 이제야 알다니 송구스러울 뿐이다. 이성호 선생은 안중근 의사 기념관에 대호장학금을 지원하고 계신다. 대전 현충원에 핀 하얀 무궁화가 오늘따라 독립운동가들의 넋인 양 성스럽게 보였다.

애국지사 4묘역 152에는 "숭고한 애국정신과 조국의 자주 독립운동에 헌신 노력함으로써 한 평생을 바치셨으니 아버지 하나님 나라에서 영생하시옵소서." 라고 쓰여 있다.

정대호 선생은 광복 후 싱가포르에서 사셨다. 어찌 싱가포르에까지 가셔서 순국하셨는지는 향후 조사를 추가로 해야 할 부분이다. 그러나 당시 수분하 세관원이셨던 선생은 언어적 제한은 없었을 것이다. 정원성은 정대호 선생의 셋째 아들이며 싱가포르 한인회장이다. 정대호 선생은 싱가포르 묘지에 계시다가 정원성과 가족의 노력으로 경기도 화성 가족묘지에 모셨다가 후에 정원성의 사위 이성호 선생께서 서울지방 보훈청을 찾아 대전 현충원 국립묘지에 안장을 했다.

바로 옆에는 국문학자 외솔 최현배 선생과 나란히 잠들어 계시고 동일 애국지사 4묘역 152에는 안중근 의사 가문 안봉생 독립운동가 계셔서 외롭지 않으실 것이다. 또한 애국지사 4묘역 397에는 마지막 광복군이셨던 이 시대 참 스승 김준엽 전 고대 총장님도 계셨다.

평일 날에도 추모객이 많다. 현재 국제정세가 개탄스러우신지 국가를 위해 살신성인하신 분들에 대한 관심이 큰 것 같아 다행스럽다.

국립서울현충원에는 우덕순 의사와 안병찬 변호사가 영면해 계신다.

안중근 의사의 동지들은 이렇게 한 분 두 분 조국으로 돌아오고 계시는데 우리 국민 모두가 염원하는 영웅 안중근 의사 유해의 귀환은 언제쯤일까? 대전 현충원의 무궁화는 그날따라 눈부시게 하얗다.

하얼빈 독립운동가 후손들 집단 거주지 취원창(聚源昶) 가는 길

하얼빈에 경상도 지역 독립운동가들이 집단으로 거주한 지역이 있다. 바로 취원창이라는 지역이다. 많은 사람들에게는 생소할 것이다. 그러나 안동의 임청각

임청각

은 들어 봤을 것이다. 임청각은 일제가 99칸의 집을 없애려고 기찻길을 집 앞으로 만든 곳이다. 또한 임청각을 팔아 독립운동에 헌신한 가족, 대한민국 임시정부 초대 국무령을 지냈던 이상룡 선생의 집이 임청각이다. 조국 독립을 위해 모든 것을 내어놓았기에 이상룡 선생의 후손들은 가난에 시달리며 뿔뿔이 흩어져 살아야 했다. 이상룡 선생이 대한민국으로 유해를 모시기 전 가매장 형태로 53년간 묘지가 있었던 곳이 바로 취원창이다.

하얼빈시 빈현 검찰청에서 근무하시는 원수빈(苑树彬) 선생과 딸 원칭사와 부인이 안내해 주셨다. 워낙 지형이 많이 변해서 찾아가는 길은 결코 쉽지 않았다. 원 선생님은 건강이 안 좋은 상태에서도 왕복 수 십리 길을 손수 운전하면서 지인들을 찾아서 자세히 소개해 주셨다. 한국 독립운동가를 만나는 길을 찾아 주신 것이다. 흑룡강성 하얼빈시 당방진 승리대대라고도 하고 흑룡강성 아성시 거원진 취원창이라고도 한다. 모두 하얼빈에서 멀지 않은데 지역적으로 보면 하얼빈시 변경지역이 아성지역과 빈현의 경계지역이다. 조사 시점에 따라 행정구역이 달랐지만 지금은 하얼빈시 도외구 거원진이다. 하얼빈시 송북구에 있는 시청을 기준으로 보면 약 68킬로미터 정도 떨어져 있다. 차량으로 한 시간 반 이상이나 걸리는데 교통이 비교적 불편한 지역이다. 역사적으로 보면, 이곳은 이상룡을 비롯한 경상북도 안동 출신의 의성 김씨와 고성 이씨 등이 중심이 되어 만들었던 항일 독립운동 기지였다.

김동삼(金東三, 1878-1937)은 경북 안동시 임하면에서 태어났다. 1911년 1월에 압록강을 건너 남만주 유하현 삼원포에 도착했다. 신흥강습소를 설립하고 경학사 결성에 참가했다. 초대 사장 이상룡(李相龍, 1858-1932)을 도와 독립운동기지 건설에 힘을 쏟았다. 안동 출신 인사들과 이회영(李會榮, 1867-1932) 일가를 비롯한 신민회가 힘을 합쳐 벌인 사업이었다. 1914년에 백서농장(白西農庄)을 건립했다. 백두산 서쪽 깊은 산 속에 자리 잡았다고 '백서'라는 이름을 붙이고, 군대조직이라는 사실을 감추기 위해 '농장'이라고 위장했지만, 사실상 군사병영이었다. 1931년 경북 영양 출신인 남자현(南慈賢, 1872-1933, 여성)과 항일 공작을 추진하기 위해 하얼빈에 잠입했다가 일경에 피검되었다. 하얼빈 주재 일본영사관 경찰에 체포된 그는 모진 고문을 받으며 고생하다가 국내로 압송되었다. 김동삼은 경성형무소에서 순국을 했다.

김동삼은 1931년 국내 형무소로 옮겨지자 만주에 남아있던 가족들의 처지는 더욱 힘들어졌다. 일본의 만주점령으로 동포들은 더 이상 독립군의 보호를 받기가 어려워졌기 때문이다. 특히 가족들 특히 김동삼의 며느리 이해동(李海東, 1905-2003)은 1931년 11월 하얼빈으로 시어머니와 아이들을 데리고 옮겨갔다. 하얼빈시 도외구 오(5)도가에 중국인 셋집 한 칸을 얻어 시어머니와 아이들과 겨우 연명했다.

그해 여름, 큰 비로 송화강 둑이 터져 하얼빈시는 물바다가 되었다. 이해동이 살던 5도가는 바로 송화강 옆이었다. 이듬해 석주 이상룡의 조카 이광민(李光民, 1895-1945)이 이해동의 딱한 사정을 보고 취원창으로 옮겨가길 권했다. 여러 곳으로 흩어져 고생하던 가족들은 1933년 드디어 취원창으로 이주했다. 이해동은 딸 하나와 아들 형제를 둔 30세의 어머니였다. 1933년 경성형무소에서 시아버지 김동삼의 편지가 날아들었다.

가족의 안부와 새로 출생한 어린아이들에 대한 지극한 사랑이 담긴 편지였다. 처음 받아 보는 시아버님의 편지에 반갑기도 했지만 면회 한 번 못가니 안타

취원장 한인묘지 주변(자료 독립기념관)

까운 마음 그지없었다. 1945년 광복이 찾아왔다. 일본이 패망 소식에 취원창은 기쁨으로 들끓었다. 급변하는 중국의 정세 속에서 교포들은 취원창을 떠나야 했다. 이해동도 10년 넘게 정착했던 취원창을 뒤로하고 다른 곳으로 옮겼다. 그 뒤 1955년부터 이해동은 집단농장에서 일하게 되었다. 어려운 가운데도 아들이 아성현에서 중학교 선생으로 재직했다. 그러나 1966년 문화대혁명으로 아들이 고초를 겪었다. 김동삼의 가족들은 또 한 차례 고초를 겪기도 했다.

온갖 풍상을 이겨낸 이해동은 1989년 고국 땅을 밟게 되었다. 여섯 살에 아버지 손에 이끌려 만주로 갔던 이해동은 77년 만에 고국으로 돌아왔다. 만주생

만주생활 77년, 이해동 수기집
(자료 경북독립운동기념관)

활 77년을 끝내고 1989년 1월 18일, 85세의 나이로 영주 귀국한 것이다. 1990년 『만주생활 77년』이 책으로 엮어졌다. 그 뒤 이해동은 고국의 품 안에서 13년을 살다 98세를 일기로 2003년 8월 세상을 하직했다.

1934년 당시 취원창은, 300호가 넘는 큰 마을로 한인 100여 호가 모여 살고 있었다. 마을 동쪽에는 베이커투강(蜚克圖江)이 흐르고 있어서 수전 개발에 유리하여 광복 직전까지도 동포 200호가 살았다고 한다.

석주 이상룡은 1911년 서간도 지역으로 망명하여 경학사·부민단의 단장으로 활동했으며 한족회 회장과 서로군정서의 독판을 역임했다.

1922년에는 남만주 독립군의 통합단체인 대한통의부를 지도했으며, 1925년에는 상해 대한민국임시정부의 초대 국무령으로 추대되기도 했다. 1932년 지린성 서란현 소과전자촌에서 사망했는데, 1937년에 취원창으로 이장했다. 고성 이씨 묘지는 취원창에서 서쪽으로 2km 정도 되는 곳인데, 중국인 지주의 땅을 사들여 조성했다.

이상룡의 묘지는 양지바른 언덕의 풍수가 좋은 곳이었다고 한다. 1990년 이상룡의 유해는 국내에 봉환되어 국립묘지 임정 요인 묘역에 안치되었다. 일제시기에는 무국적자로 있었다.

"나라를 찾기 전에는 내 유골을 고국으로 가져가지 말라."는 유언을 남기신 이상룡 선생. 그러나 이제는 국권이 회복이 된 지 75년이 되었다.

임청각에는 이상룡의 시 한 수가 남아있다고 한다.

슬퍼 말고 옛 동산을 잘 지키라.
나라 찾는 날 다시 돌아와 살리라.

취원창에는 중국인들의 묘지들이 일부 보였다. 그나마, 묘비가 없는 무덤이 많아 옥수수밭으로 둘러싸여 이상룡이 묻혔던 곳을 확인하기 어렵다. 필자가 다녀온 지도 5년은 넘는다. 특히 거원진 주변은 개발이 이루어지고 있어서 5년 전에 갔을 때도(주위가 온통 옥수수밭이어서) 진입로를 찾기가 무척 힘들었다. 간신히 논밭을 지나 미루나무 사이로 멀리 무덤들이 보였는데 앞으로는 GPS 표시라도 해야 앞으로 찾을 듯싶다.

취원창에는 민족교육을 실시하기 위해 동원학교가 설립되어 운영했다. 동원학교(同源學校)는 신민부(新民府)가 취원창에 세운 민족학교이다. 동원학교에 근무하던 교사는 5명이었으며, 학생은 60명이었다. 신민부에서 세운 학교 중 가장 큰 규모로 교장에는 한족회(韓族會), 정의부(正義府) 등에서 활동한 김형식(金衡植, 1877-1950)이 활동하였으며, 교사로서 신흥학교 출신인 강동호(姜東浩)가 가르쳤다. 정확한 위치는 지금 알 수 없지만 독립 기념관에서는 동원학교가 있던 곳이 현재 개인 주택과 밭으로 변했다고 되어있다.

안중근 의사는 사형집행 전날 국내외 동포들에게 "동포에게 고함"이라는 글을 보냈다.

이천 칠백만 동포에게 남기신 유훈이다. 이 유훈은 순국 전날 1910년 3월 25일 「대한매일신보」에 보도되었다.

"내가 한국 독립을 회복하고 동양평화를 유지하기 위해 삼 년 동안 해외에서 풍찬노숙하다 마침내 그 목적에 도달하지 못하고 이곳에서 죽노니, 우리 이천만 형제자매는 각각 스스로 분발하여 학문에 힘쓰고 실업을 진흥시키길 간절히 바란다. 그리하여 나의 뜻을 이어 자유 독립을 회복한다면, 죽는 자 여한이 없겠노라."

광복은 저절로 주어진 것이 아니다. 국민의 염원으로 되찾은 것이다. 하얼빈의 독립운동가들이 풍찬노숙을 하면서, 처절하게 저항하고 투쟁한 독립운동의 결과이다.

독립운동가 정율성(鄭律成)과 정율성기념관(鄭律成記念館)

정율성(鄭律成, 1914-1976)은 중국 사람들에게 중국의 혁명 음악가, 작곡가로 잘 알려져 있을 뿐 아니라 '군가의 아버지'로 칭송받고 있다.

그러나 정율성은 음악가 이전에 조선의 독립운동가였다. 정율성뿐만 아니라 그의 형들, 누나, 매형이 모두 독립운동가로 활약했다[26]. 그는 중국 혁명 과정의 참여와 건국 초기의 북한 정권의 참여 등 낯선 이력으로 인해 우리에게 잘 알려지지 않았지만 일제에 맞서 조국의 독립운동가로 활동했다.

정율성기념관을 찾았다. 정율성기념관은 원래 하얼빈시 경비 사령부 내 군부대에서 땅을 제공 받아 운영되었다. 지금은 하얼빈시 조선민족예술관 2층에 위치하고 있다(개장 시간: 8:00-16:30, 월요일 휴관, 관람료 무료). 이곳에 정율성이 작곡한 음악, 그의 외동딸 정샤오티(鄭小提, 정소제, 1943-)가 기증한 악보와 자료들이 전시되어 있다. 정율성이 작곡한 곡들의 악보 원본, 그와 관련된 서적과 자료들, 정율성이 생전에 사용한 물건들을 관람할 수 있다. 딸 정샤오티는 현재 베이징(北京)에 거주하며 음악가로 활동하고 있다. 그녀의 이름 '샤오티(

---

26) 첫째 형 정효룡은 3·1운동으로 체포되어 투옥 후 사망, 둘째 형 정충룡은 3·1운동 체포령 후 중국 국민혁명군 활동, 셋째 형 정의은은 의열단 활동, 임시정부 활동, 누나 정봉은은 광주학생독립운동 참여, 매형 박건웅은 의열단 활동, 조선혁명간부학교 교관, 임시정부 부주임 역임(김은식(2016) 참고).

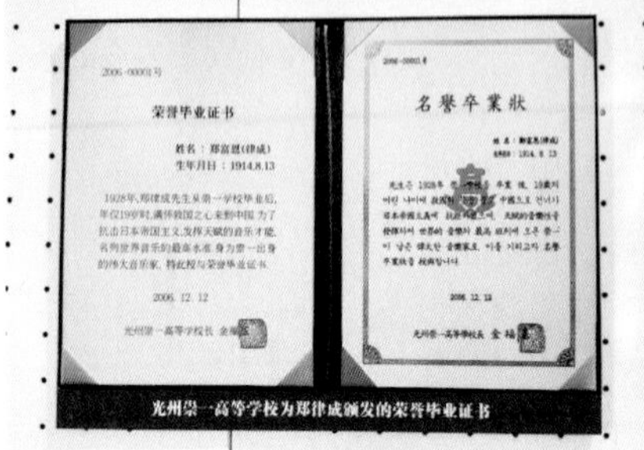

정율성 기념관

小提)'는 중국어로 바이올린을 의미하는 샤오티친(小提琴)을 따서 지어졌다. 그녀가 태어났을 때, 부친인 정율성은 태항산구(太行山区)에서 임무를 수행하고 있었고, 그녀도 미숙아로 약하게 태어난 데다가, 모친 정설송(丁雪松, 1918-2011)도 건강하지 못해 모유가 잘 나오지 않았다. 정설송은 딸을 위해, 정율성이 아끼는 바이올린을 과감히 양 한 마리와 바꿔 양젖을 짜서 딸에게 먹였다. 그래서 이름을 샤오티라 지었다.

정율성의 본명은 정부은(鄭富恩)으로 1914년 8월 13일 전라남도 광주에서 태어났다. 어렸을 때 말 더듬는 병을 앓았는데 음악적 재능이 발견돼 바이올린을 배우기 시작했다. 1919년 광주에서 3·1운동이 일어난 당시 어린 정율성은 아버지와 형들의 애국주의 사상의 영향을 받아 항일과 애국주의에 대한 마음을 키웠다. 부친의 별세로 전주 신흥중학교를 중퇴하고 1933년 19살의 나이에 중국 난징(南京)으로 건너가 의열단의 조선혁명간부학교에 입학했다. 조선혁명간부학교를 졸업 후 의열단원이 되어 전화국 도청 업무를 수행하던 중 김원봉(金元鳳, 1898-1958)의 지원을 받아 난징에서 상하이를 오가며 러시아 음악가 크리노와(Krennowa) 교수로부터 음악을 배우기 시작했다. 그는 난징으로 넘어오면서 유대진(劉大振)이라는 이름을 스스로 지어 사용하고 있었는데 도청 업무를 하면서부터 정율성이라는 이름을 지어 사용하게 되었다.

1936년 항일구국기구인 '오월문예사(五月文藝社)'에 가입하여 이사를 역임하며 활동을 했다. 이 시기에 데뷔작인 〈五月之歌(오월의 노래)〉를 작곡했다. 중일전쟁 이후 1937년 10월에는 옌안(延安)으로 가서 산베이공학(陝北公學)에, 1938년에는 루신예술학원(魯迅藝術學院) 음악학과에 다니며 공부했다. 또한 중국인민항일군정대학에서 음악 지도 및 루신예술학원에서 성악을 지도했다. 이 시기에 「延安頌(옌안송)」, 「保衛大武漢(우한을 지켜라)」, 「生産謠(생산요)」, 「十月革命進行曲(10월 혁명 행진곡)」, 「八路軍進行曲(팔로군 행진곡)[27]」 등 많은

27) 「八路軍進行曲」은 훗날 중국인민해방군가로 채택 됨.

혁명곡을 만들었다. 1939년 1월 중국 공산당에 정식 가입했다. 1942년에 타이항산 팔로군본부에 파견되어 화베이 조선혁명군정학교 교장을 역임했다.

해방 후, 1945년 부인 정설송과 함께 북한으로 가서 노동당 황해도 도당위원회 선전부장, 조선인민군 구락부 부장, 조선인민군 협주단 단장을 역임하며 「조선해방행진곡」, 「조선인민군 행진곡」, 「두만강」 등을 작곡했다.

1949년 초, 정율성과 부인은 중국 동북 행정위원회의 평양상업대표단 대표를 맡게 되어 중국 공산당으로 돌아갔다. 이 시기에 정율성은 전출되어 조선국립음악대학에 곡부부장(曲部部長)으로 배치되었다. 1950년, 한국 전쟁이 발발하여 주은래(周恩来, 1898-1976) 총리의 비준을 받아 아내와 함께 중국으로 돌아가 중국 국적을 취득한 후 베이징 인민예술극장에 배치되었다. 1956년에는 중앙악단(中央樂團, 현 중국 교향악단) 창작실로 옮겨 많은 음악을 작곡하였고 1976년 12월 7일 세상을 떠났다. 정율성은 2009년 중국의 중앙 홍보부, 중앙 조직부 등 11개 부처에서 선정한 '신중국 건설에 뛰어난 공헌을 한 영웅 모범 인물 100명(新中國成立作出突出贡献的英雄模范人物)'으로 선정됐다[28]. 2009년 4월에는 중국 하얼빈에 그를 기념하는 '정율성기념관'이 개관했다. 그해 한국에도 그의 고향인 광주에 그를 기념하는 정율성 거리(광주 남구 양림동 근대

28) 왕진(王震, 1908-1993) 전 중화인민공화국 부주석은 《作曲家郑律成(작곡가 정율성)》의 서문에서 "현대의 걸출한 작곡가이며 중국 프롤레타리아 혁명 음악 사업의 개척자 중 한 명이다." 라고 평하였다.

역사문화마을)가 조성되었다. 또한 정율성음악축제는 매년 정율성을 알리고 기념하며 한중 문화교류의 역할을 하고 있다.

조선의 독립운동가 정율성은 생전 수백 곡의 음악을 작곡한 위대한 음악가였다. 또한, 조선궁정악보를 수집했다. 1996년 부인 정설송은 이 악보들을 한국 문체부에 기증했다. 한국에 소중한 조선궁정악보가 국가로 돌아온 것이다.

정율성은 지금도 중국인들에게 사랑을 받는 음악가이며 고향 광주에서도 사랑을 받고 있는 음악가이다. 공산주의자로서의 행적도 있지만 독립운동을 하며 일제에 맞섰던 그를, 이제는 한중 교류 및 우의의 이음목으로 조심스럽게 조명해 본다.

- 제 3 장 -

안중근 의사 유적지를 가다

- 한국 독립운동의 성지 -

- 안중근 의사와 함께 가는 여행
  - 김성백의 집
  - 조린공원
  - 서 7도가 -서 8도가
  - 도리 조선족중심 소학교
  - 하얼빈역과 안중근 의사 기념관
  - 화원 소학교
  - 채가구역
- 하얼빈에 남겨진 안중근 의사 친척들
- 안중근 오페라 악보가 있다
- 〈1박 2일〉 촬영 체험기, 안중근 의사 젊은이들의 레전드가 되다
- 하얼빈과 나
- 일본 식민시기 지역을 가다
  - 동북열사기념관과 조선 출신 항일연군
  - 화원 소학교와 독립운동가
  - 731 부대 - 악마의 블랙박스가 열리다

안중근 의사와 함께 가는 여행

하얼빈은 아직 10월인데도 아침 기온이 벌써 영하로 떨어졌다. 밖으로 나서니 차가운 바람이 얼굴을 때렸다. 하얗게 입김도 나왔다. 하얼빈 의거가 있던 1909년 10월 26일, 그날도 날씨가 몹시 추웠다. 하얼빈은 겨울이 되면 영하 30도 가깝게 내려간다. 이렇게 물설고 낯선 동토의 열악한 환경 속에서도 나라의 독립을 위해 애쓰신 분들을 생각하니 존경하는 마음과 감사한 마음이 뜨겁게 솟아났다.

사실 안중근 의사는 하얼빈 의거가 있던 1909년 10월 26일 당일에만 하얼빈에 머물렀던 것이 아니다. 실제로 안 의사는 하얼빈에 총 열하루 동안 있었다. 동양평화와 대한의 자주독립을 위해 하얼빈에 머물렀던 안중근 의사의 역사적 발자취는 111년이 흐른 지금도 그의 영혼과 정신을 느낄 수 있다. 한국 독립운동의 성지라고 할 수 있는 하얼빈에서 차가운 공기를 가르며 한국의 영웅 안중근(安重根, 1879-1910) 의사(義士)의 발자취를 함께 걸어본다.

김성백(金成白)의 집

도리구 삼림가 34호(道里區森林街34號)를 향해 걸었다. 이곳은 안중근 의사가 하얼빈 의거를 위해 러시아 블라디보스토크에서 하얼빈에 도착했을 때 머물렀던 곳으로 당시 재 하얼빈 한인회 회장 김성백(金成白, (1878)-?)의 집이 있던 곳이다. 당시는 레스야나가 28호였다.

안중근 의사는 1909년 9월 러시아 블라디보스토크에서 이토 히로부미(伊藤博文, 1841-1909)가 수일 내에 하얼빈에 도착할 것이라는 소식을 듣고 동지 우덕순(禹德淳, 1876-1950)과 거사를 계획한 뒤, 블라디보스토크에서 1909년 10월 22일 하얼빈으로 들어왔다. 하얼빈으로 가는 도중 러시아어 통역이 필요하여 수분하(綏芬河, 포그라니치아)에서 유동하(劉東夏, 1892-1918)를 불러 함께 하얼빈으로 향했다. 하얼빈으로 온 안 의사는 거사 전까지 김성백의 집에 머무르면서 거사 계획을 세웠다. 당시 하얼빈 한인회 위원은 20명이고, 하얼빈 내 한인은 222명으로 주로 담배팔이(담배판매업)를 하며 살았다. 이들은 넉넉한 형편이 아니었어도 달마다 돈을 모금하여 조선인 학교인 동흥학교(東興學校)에 보내고 빈곤한 조선인들을 도우며 살았다.

안중근 의사의 심정을 헤아리며 걷다 보니 어느덧 삼림가(森林街) 표지판이 나타났다. 하얼빈의 건물들은 파란색 간판에 거리명과 호수가 쓰여 있어서 숫자를 잘 살피며 걸었더니 34호를 금방 찾을 수 있었다. 당시 김성백의 집이 있던 곳은 현재 6층짜리 상가 겸 주거 빌딩이 자리를 잡고 있었다. 당시 김성백의

김성백 집터의 현재 모습

집 구조는 거실 4개와 부엌 하나가 있었다. 가운데 방 두 개와 부엌은 김성백 가족이 사용했는데 길가로 문이 나 있다. 다른 방 두 개는 러시아인 제본업자가 부인과 거주하고 있었다. 이방들 외에 창고(지하실) 및 부속 뒷 건물도 있었다. 안중근 의사는 김성백의 거실 중 한 곳에서 묵었다. 김성백은 안중근 일행에게 숙식을 무상으로 제공했다. 김성백의 집은 안중근 하얼빈 의거지의 근거지가 되었고, 지휘부 역할을 했다. 안중근 의사는 당시 황갈색으로 된 여행 가방을 가지고 있었는데 윗부분의 손잡이는 가죽이었고 내장 자물쇠를 붙였는데 내부는 청색의 직물을 둘렀다. 이 가방은 1909년 11월 17일 하얼빈 국경 지방

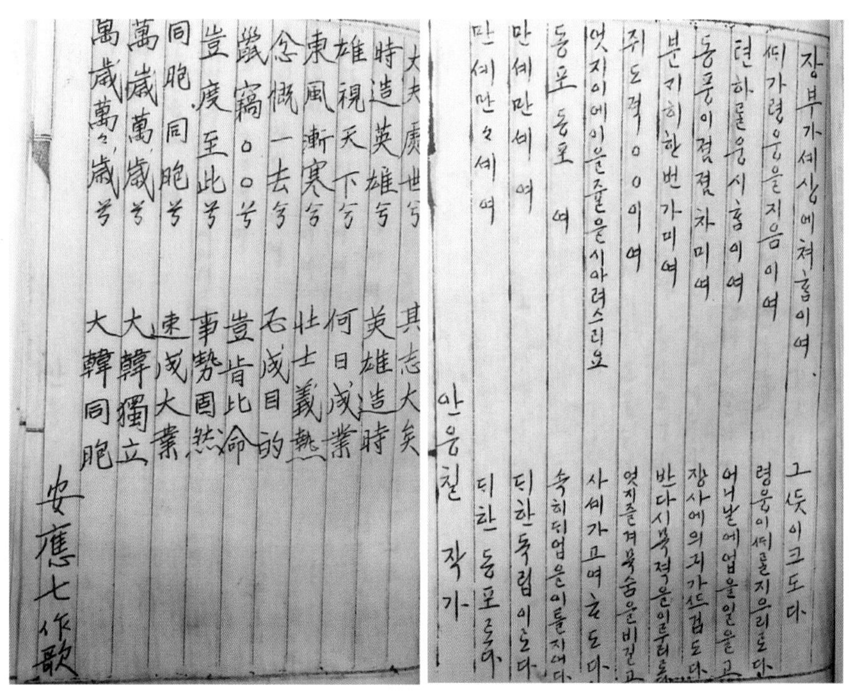
丈夫處世兮 其志大矣
時造英雄兮 英雄造時
雄視天下兮 何日成業
東風漸寒兮 壯士義熱
忿慨一去兮 必成目的
鼠竊○○兮 豈肯比命
豈度至此兮 事勢固然
同胞同胞兮 速成大業
萬歲萬歲兮 大韓獨立
萬歲萬萬歲 大韓同胞
安應七 作歌

장부가세상에쳐홈이여 그뜻이크도다
ᄯᅢ가령웅을지음이여 령웅이ᄯᅢ를지으리로다
텬하를웅시홈이여 어ᄂᆡ날에업을일을고
동풍이졈졈차미여 쟝사에의긔가ᄯᅳ겁도다
분개히한번가미여 반다시목적을이루리로다
쥐도젹ㅇㅇ이여 엇지즐겨목숨을비길고
엇지이에이을줄을시아려스리요 사셰가고여ᄒᆞ도다
동포동포여 속히되업을이룰지어다
만세만세여 대한독립이로다
만세만만세여 대한동포로다
안응칠 작가

장부가 원본(한문과 한글본, 일본 외교 사료관 소장)

재판소 검사 밀레르(Миллер.К)에 의하여 김성백의 집에서 압수되었다.

건물 입구에 몇 개의 계단이 있었다. 안중근 의사가 하얼빈에 도착해서 머물렀던 김성백의 집 계단 위에 내 발을 얹었다. 나는 후손 된 도리를 다하고 있는가? 무거운 발길로한 계단 한 계단 올랐다. 바로 이 김성백의 집에서 거사 전에 거사에 대한 의지를 담아 쓴 그 유명한 '장부가(丈夫歌)'가 지어졌고, 그에 대한 답으로 동지 우덕순이 쓴 '거의가(擧義歌)'도 지어졌다. '장부가'를 마음속으로 읊어 봤다. "장부가 세상에 나오니 그 뜻이 크도다. 때가 영웅을 만들고 영웅은 때를 만드는 도다……." 거사에 대한 뜻과 계획과 의지를 다시금 다지고 굳건히 하였을 안중근 의사의 심정을 생각해보며 다음 장소로 발걸음을 옮겼다.

조린공원(兆麟公園, 옛 하얼빈공원)

김성백의 집터에서 조린공원(兆麟公園, 자오린 공원, 옛 하얼빈 공원)까지 걸어서 이동했다. 조린공원은 도리구 삼림가 337호(道里區森林街337號)에 있다. 2분 정도 걸으니 노란 담벼락과 함께 조린공원 동남문(東南門)이 보였다.

안중근 의사가 하얼빈에 도착한 다음 날인 10월 23일 오전 이발소에서 우덕순, 유동하와 함께 이발을 하고 하얼빈공원(현 조린공원) 남문 근처 사진관에서 기념사진을 찍었다. 다음 날 안중근 의사는 우덕순과 함께 하얼빈공원에서 산책하면서 계획을 점검했다.

조린공원 입구

조린공원 안내판

조린공원 내부

안중근 의사 '青草塘' 유묵비

공원에 들어서니 바로 오른쪽에 공원 안내판이 보였다. 공원을 돌아보기 전에 안내판을 한번 보고 돌아봐야겠다는 생각이 들었다.

안내판에 안중근 의사의 얼굴이 있었다. 안내판에 '청초당(青草塘)'이라는 글자와 안 의사의 사진이 함께 있어 놀라웠다. '青草塘[29]'은 안중근 의사의 유묵 중 하나인데 이 공원 안에 '青草塘'이라 쓰인 안중근 의사 기념비의 위치를 나타내고 있던 것이다. 안내판에 있는 반가운 안 의사의 모습을 사진으로 담고 보물찾기를 하듯 안중근 의사 기념비를 찾아 나섰다. 안내판에서부터 왼쪽으로 약 1~2분 정도 걸으니 연못과 정자로 꾸며 놓은 곳에 바로 대한 독립운동의 영웅 안중근 의사의 기념비를 발견할 수 있었다.

기념비에는 '青草塘'이라는 안중근 의사의 유묵과 '安重根'이라는 안중근

29) 1972년 8월 16일 보물 제569-15호로 지정되었다. 현재 원본은 해군사관학교 박물관에 소장되어 있다.

의사의 한자 이름, 그리고 왼손 무명지를 잘라 단지 동맹을 했던 그의 손도장이 새겨져 있다. 단지 동맹으로 왼손 약지의 마디를 절단한 그의 손도장과 '풀이 푸르게 돋은 언덕'이라는 뜻의 '青草塘' 글자를 바라봤다. 나라를 위해 목숨 바치신 안 의사의 기념비 앞에 서서 아직 찾지 못한 그의 유해를 생각했다. 후손으로서 죄송한 마음과 숙연한 마음이 들어 저절로 고개가 숙여졌다. 꽃 한 송이라도 챙겨 오지 못하고 빈손으로 온 것이 부끄러웠다. 묵념을 하고 기념비 뒤쪽을 돌아가 봤다. 기념비 뒷면에는 '硯池(연지, '벼루와 연못'이라는 뜻)'라는 안 의사의 또 다른 유묵이 새겨져 있었다. 안 의사가 하얼빈에서 다롄 뤼순 감옥에 수감되었을 당시, 신품(神品)이라 할 만한 유묵을 많이 남겼다. 비록 육신은 감옥에 있었지만그는 유묵에 자신의 애국 사상과 독립에 대한 의지, 동양평화에 대한 정신을 표현했다. 이렇듯 조린공원에는 안 의사의 기념비와 함께 그의 정신도 남아있는 것이다.

조린공원은 1906년에 만들어졌는데 1963년 중국 항일 운동가 이조린(李兆麟, 1910-1946) 장군이 이곳에 안장되었기 때문에 그의 이름을 따서 조린공원으로 개명했다. 중국 항일 운동가 이조린 장군이 묻힌 조린공원에 한국의 항일 운동가 안중근 의사의 뜻과 정신이 담긴 기념비도 함께 있다.

거사 전, 우덕순과 함께 이 공원을 산책하면서 거사에 대한 계획을 점검하였던 안 의사를 생각하며 공원 안쪽으로 발걸음을 옮겼다. 자신의 목숨까지 내놓을지도 모를 거사를 앞두고 안 의사는 대한독립을 위해 담대한 마음으로 거사를 생각했을 것이다. 거사가 성공하기를 바라며 마음을 견고히 하였을 안중근 의사의 그때 그 순간의 마음을 헤아려보며 공원을 천천히 걸어 봤다.

"내가 죽은 뒤에 나의 뼈를 하얼빈공원 곁에 묻어 두었다가, 국권이 회복되면 고국으로 옮겨다오. 나는 천국에 가서도 우리나라의 독립을 위해 힘쓸 것이다…"라는 안중근 의사 최후의 유언이 떠올랐다. 안 의사의 유언과는 달리, 그는 하얼빈공원에 묻히지 못했다. 안중근 의사의 유해를 하얼빈공원에 묻으면 한국 독립운동의 성지가 될 것을 염려한 일본이 당시 감옥법을 어기면서까지 비밀리 뤼순에 매장했다. 안중근 의사가 유해를 묻어달라고 했던 당시의 하얼빈공원, 바로 여기 조린공원에서 110년이 지난 그 유언을 지켜 드리지 못한 후손으로서 죄송스러운 마음을 품고 다음 장소로 발걸음을 옮겼다.

서 7도가 - 서 8도가(西七道街-西八道街, 옛 도리몽고가-고려가(道理蒙固街-高麗街))

조린공원 동남문으로 나와 약 5분 정도 걸으니 '西七道街-西八道街'라고 쓰인 표지판을 발견할 수 있었다.

서8도가 거리

서7-서8도가 표지판

안중근과 동지들이 하얼빈에 온 지 하루가 지난 10월 23일, 안중근 의사는 서7도가-서8도가(西七道街-西八道街)에서 그날 발행된 러시아 신문 〈원동보(遠東報)〉의 중문(中文)판에 실린 기사 내용을 확인했다. 기사에는 이토 히로부미가 러시아의 대장대신 코코프체프(Kokovesev)를 만나 동양에 대한 정책을 협의하기 위해 북만주로 온다는 것으로, 이토는 특별열차를 타고 10월 25일 관성자, 현 창춘(長春)을 출발해 26일 하얼빈으로 온다는 것이었다. 기사를 확인한 안 의사는 이토를 주살하기 위해 우덕순과 함께 더 구체적으로 계획을 상의하고 준비했다.

'西七道街-西八道街'라고 쓰인 표지판을 따라 들어가 봤다. 현재 주차 공간으로 양옆에는 건물들이 들어서 있다. 이 길을 따라 들어가면 옆으로 1906년에 지어진 오랜 역사를 지닌 마디얼 호텔(马迭尔宾馆, Modern Hotel)도 보이고 번화가인 중앙대가(中央大街)도 보인다. 계속 길을 따라 들어간 그곳에 이토가 열차를 타고 북만주로 온다는 기사를 확인하고 기뻐하는 대한의 영웅 안중근이 서 있었다.

도리조선족중심 소학교(道里朝鮮族中心小學校, 옛 동흥학교(東興學校))

서7도가-서8도가에서 약 15분 정도 걸으니 도리조선족중심 소학교가 보였다(도리구 경위사도가 7호(道里區經緯四道街7號)에 위치). 도리조선족중심 소학

도리중심 소학교

교(초등학교)는 안중근 의사의 하얼빈 의거 당시에는 동흥학교였다. 1909년 4월에 설립된 동흥학교는 동(東)쪽에서 흥(興)하자라는 뜻으로 하얼빈 뿐만 아니라 흑룡강성 내 최초의 조선인 학교로 애국 사상 교육을 하여 학생들의 민족정신을 고취시켰다.

신문 기사들을 통해 이토가 하얼빈으로 오는 날짜를 자세히 살펴본 안중근 의사는 거사 준비를 철저히 하기 위해 유동하 외에 통역이 더 필요함을 느끼게 되었다. 그래서 동흥학교에 가서 동흥학교의 교사였던 김형재로부터 조도선(曺道先, (1879)-?)을 소개 받았다. 이토가 하얼빈에 오기 전까지 며칠 안 남은 상황에서도 계획을 치밀하게 준비하고 만전에 만전을 기하려 했던 안 의사의 의지를 느끼며 다음 행선지인 하얼빈역으로 향했다.

하얼빈역(哈爾濱驛)과 안중근 의사 기념관(安重根義士紀念館)

하얼빈역은 도리조선족중심 소학교에서 약 2.2km 떨어져 있다. 중국 지도 어플리케이션인 '高德地圖'를 확인하니 걸어서 약 30분을 가야 한다고 나왔다. 안중근 의사 기념관의 개장 시간(오전 9시-11시 30분, 오후 1시 30분-4시. 매주 월요일은 휴관)도 고려해야 해서 택시로 이동했다. 길가의 택시를 잡아 타고 '하얼빈역 남(南)광장'으로 가자고 했다. 약 6~7분쯤 지났을까. 역내 지하 주차

하얼빈역으로 올라가는 길

하얼빈역

장의 택시 승차장에 도착했다. 지하에서 에스컬레이터를 타고 지상으로 올라가니 바로 하얼빈역 광장이 나왔다. 하얼빈 글자의 번체자인 '哈爾濱'이 붉은 글씨로 크게 역 건물 중앙 꼭대기에 걸려 있는 것이 바로 눈에 들어왔다. 드디어 하얼빈역 남광장에 도착했다. 국사 교과서에서만 보았던 안중근 의사가 이토 히로부미를 주살한 현장인 바로 그 하얼빈역에 내가 서 있다는 생각에 가슴이 두근거렸다. 실감이 잘 안 났다. 오가는 사람도 너무 많아서 어지럽기까지 했다. 어느새 나는 타임머신을 타듯 1909년 10월 26일 아침 하얼빈역에 서 있었다.

1909년 10월 26일 오전 7시쯤, 하얼빈역에 수수한 양복을 입고 권총 한 자루를 지닌 대한의 청년 안중근이 도착했다. 화요일 아침이었다. 눈이 많이 내려 하얀 눈이 동북의 아침을 덮었다. 기온은 영하 5도이고, 군인의 털모자 위에 눈이 쌓여 있었고 입김도 하얀 서리를 이루었다. 김성백의 집에서 나온 안중근 의사는 마차를 타고 하얼빈역에 도착했다. 역에 도착한 그는 대합실 안의 3등 찻집에 들어간다. 그를 따라 나도 찻집으로 들어간다. 차를 마시며 이토 히로부미가 탄 열차가 오기를 기다리는 그가 보인다. 그는 지금 어떤 심정일까? 어떤 생각을 할까? 진지하고 비장한 그의 표정을 보니 거사에 대한 생각만 하고 있는 것 같다. 어떻게 이토를 죽일까. 시간이 흘러, 오전 9시가 되었다. 열차 소리가 들린다. 이토를 태운 열차가 하얼빈역에 들어오기 시작하나 보다. 잠시 후 안중근 의사가 밖으로 나간다. 그를 급히 따라 나간다. 열차에서 내리는 이토 일행을 환영하는 소리에 귀가 따갑다. 갑자기 네 발의 총성이 들린다. 안중근 의사가 이토 히로부미를 향해 총을 쏜 것이다. 총알은 이토의 상박, 옆구리, 복부 세 군데에 모두 명중했다. 이토가 쓰러진다. 또다시 세 발의 총성이 들린다. 안 의사는 본래 이토의 얼굴을 알지 못하였기 때문에 처음에 이토라고 생각된 사람에게 총을 쏘고 이어서 이토를 뒤따르던 당시 하얼빈 주재 일본 총영사 가와카미 도시히코(川上俊彦), 궁내부 비서관 모리 야스지로(森泰二郎), 만주철도 이사 다나카 세이지로(田中淸次郎)에게 총을 쏘았고 모두에게 중경상을 입혔다. 안 의사가 먼저 쏜 총에 맞은 사람은 이토 히로부미였다. 쓰러진 이토 히로부미는 기차

2014 한국정부 대표단 안중근 의사 기념식(좌측부터하얼빈 한인회장 유구준, 심양 총영사 신봉섭, 안중근 연구가 서명훈선생님, 국가보훈처장 박승준, 안중근의사 기념관장 강월화, 저자)

로 옮겨지고 응급처치를 받았지만 결국 죽음을 맞았다. 주위에 있던 러시아 헌병들이 안중근 의사를 덮친다. 헌병들에 의해 총을 떨어뜨린 안중근 의사는 바로 일어났다. "코레아 우라! 코레아 우라! 코레아 우라[30]!"라는 소리가 하얼빈역에 퍼졌다. 러시아어로 '대한민국 만세'를 외친 안 의사는 별다른 저항 없이 담담히 체포에 응했다.

러시아 헌병들에게 체포된 안중근 의사를 바라보던 나는 홀로 다시 현실로 돌아왔다. 하얼빈역에서 밖으로 나왔다. 역을 등지고 오른쪽으로 돌아가니 안

30) 당시 하얼빈은 러시아 조차지로 안 의사는 이토 주살의 정당성을 알리기 위해 "대한국 만세"라는 말을 러시아어로 외쳤다.

중근 의사 기념관이 보였다. 중국 땅에 한국의 영웅 안중근 의사를 기념하는 기념관이 있다니 놀라웠다.

2013년 6월 29일 당시 한국의 대통령이었던 박근혜(朴槿惠, 1952-) 전 대통령이 중국을 방문하는 동안 한중 양국의 국민에게 존경을 받는 역사적 인물인 안중근 의사의 기념비를 하얼빈에 세우기를 바란다고 했다. 그해 11월 19일 중국 외교부에서 안 의사를 중국에서도 존경받는 항일의사라고 하며 기념비 건설을 적극적으로 추진한다고 했고 이듬해인 2014년 1월 19일 하얼빈역 내에 안중근 의사 기념관 개관식을 거행하게 되었다. 한국인으로서 하얼빈 의거의 역사적 현장인 하얼빈역에 안중근 기념관이 개관한 것은 고마운 일이다. 안중근 의사 기념관은 한중우호의 상징이라고 해도 과언이 아닐 것이다.

기념관 안으로 들어갔다. 관람료는 무료이기 때문에 여권을 보여주고 이름만

안중근 의사 기념관 외관

안중근 의사 동상

작성하면 바로 입장이 가능했다. 기념관 안으로 들어가면 바로 정면에 「원동보」를 들고 있는 안중근 의사의 실물 크기의 동상이 있다. 그 위로는 시계가 있는데 안 의사가 거사 후 붙잡힌 시간인 오전 9시 30분에 멈춰있다. 원동보를 들고 있는 안중근 의사와 기념 촬영을 하고 기념관 내 전시 공간으로 들어갔다. 안중근 의사의 생애와 업적, 저술, 하얼빈 의거와 뤼순 감옥에 가기 전까지의 기록, 사진, 유묵 등의 자료들을 살펴보며 다시 한 번 마음속에 안중근 의사를 새겼다. 전시실 중앙에 큰 창이 보였다. 창밖에 무엇이 있을까 궁금한 마음에 몇 개의 계단을 단숨에 올라 창 가까이 다가갔다. 창밖으로 보이는 것은 다름 아닌 하얼빈 역내 플랫폼이었다. 천장에 매달린 표지판에는 '안중근 의사의 이토 히로부미 격폐 사건 발생지'라는 글과 그 아래에 하얼빈 의거의 날짜인 '1909. 10. 26'이 적혀 있다. 바닥에는 두 개의 표시가 각각 떨어져 있는데 다름 아닌 안중근 의사가 하얼빈역에서 이토 히로부미를 권총으로 주살(誅殺)할 당시, 안중근 의사가 있던 자리와 이토 히로부미가 있던 자리를 표시해 놓은 것이다. 두 사람의 거리가 약 열 발자국 정도밖에 되지 않아 보였다. 안중근 의사가 이토를 주살한 역사적 장소를 눈앞에서 실제로 보게 되다니 감격스러웠다. 예전에는 안중근 의사 의거지 현장을 직접 볼 수 있었다. 아니 현장을 다가가서 만져 볼 수도 있었다. 지금은 어렵다. 이제는 과거의 방법이 되었다. 지금은 안중근 의사 기념관 창문을 통해서 먼발치를 보는 아쉬움이 크다. 그러나 과거 2010년 경에는 하얼빈역 고객 출구에서 입장권 1원을 가지고 환영인파로 가장하여 살짝 현장을 보기도 했다. 또는 VIP 대합실 권 기차표를 가지고 있으면 기차가 도착하기 전에 부리나케 뛰어가서 보는 방법이 가능했다. 그러나 2019년 하얼빈역이 확장 개통이 되고는 이제 원천적으로 하얼빈 의거 현장을 볼 수 없다. 그러나 유일한 방법이 있다. 목단강으로 가는 고속전철표를 구매하면 현재 하얼빈역 1번 플랫폼에서 기차를 탈 확률이 거의 50% 이상이다. 운이 좋다면 말이다. 가끔 기차역이 변경이 되기도 한다. 그나마 이것이 현재 안중근 의사가 이토 히로부미를 주살한 현장에 가볼 유일한 방법이다. 그러나 안중근 의거일이나 순국일이 다가오면 하얼빈시 관련 기관은 더욱 관심과 주의를 기울이고 있다.

동양평화를 지키고자 행동으로 보여준 그의 용기에 감사하며 후손으로서 부끄럽지 않게 살아야겠다는 마음을 방명록에 적고 나왔다.

화원 소학교(哈爾濱市花園小學校, 옛 하얼빈 주재 일본총영사관)

1909년 10월 26일 안중근 의사는 거사 후 바로 러시아 헌병에게 체포된 후 심문을 받고 그날 밤, 하얼빈 주재 일본총영사관(현 화원 소학교)으로 인도되었다. 당시 일본총영사관이었던 화원 소학교(초등학교)는 하얼빈역에서 약 2.5km

화원 소학교

떨어져 있다.

택시로 도착한 화원 소학교 건물의 외벽에 작은 안내판이 보였다. 안내판을 자세히 보니 이곳에 대한 역사적 기록이 중문과 영어로 새겨져 있다. 이토 히로부미를 주살한 안중근 의사가 1909년 10월 26일부터 11월 1일까지 갇혀 있었던 곳이라는 내용도 기록되어 있다.

1909년 10월 28일, 뤼순의 일본 관동도독부 검찰관 담당검사 미조부치 타카오(溝淵孝雄)는 하얼빈에 도착하여 사건의 모든 자료를 인계받고, 10월 30일 영사관 지하실의 심문실에서 안 의사를 심문했다. 안 의사가 심문을 받은 영사관 지하실의 심문실을 건물 밖에서나마 보고 싶었다. 자세를 낮춰 드러난 지하

화원 소학교 건물 역사 안내판

건물 외부에서 바라본 지하

를 바라보지만 촘촘한 창살로 덮인 지하는 컴컴하여 안을 확인하기가 쉽지 않았다. 미조부치 검사는 안 의사에게 이토 히로부미를 주살한 이유를 물었다. 컴컴한 지하에서 심문을 받으면서도 의연한 모습을 잃지 않았던 안 의사는 우리에게 잘 알려진 이토의 15가지 죄목으로 일목요연하게 답했다. 지금은 초등학교가 된 당시의 일본총영사관 앞에서 안중근 의사가 당당하게 주장한 이토의 15가지 죄목을 하나하나 읊어 봤다.

1. 한국 명성황후를 시해한 죄

2. 한국 고종황제를 폐위한 죄

3. 5조약과 7조약을 강제로 체결한 죄

4. 무고한 한국인들을 학살한 죄

5. 정권을 강제로 빼앗은 죄

6. 철도, 광산, 산림, 천택을 강제로 빼앗은 죄

7. 제일은행권 지폐를 강제로 사용하게 한 죄

8. 군대를 강제로 해산시킨 죄

9. 민족 교육을 방해한 죄

10. 대한인들의 외국유학을 금지시킨 죄

11. 교과서를 압수하여 불태워 버린 죄

12. 한국인이 일본의 보호를 받고자 한다고 세계에 거짓말을 퍼뜨린 죄

13. 현재 한국과 일본 사이에 전쟁이 쉬지 않고 살육이 끊이지 않는데 한국이 태평무사한 것처럼 위로 천황을 속인 죄

14. 대륙 침략으로 동양평화를 깨뜨린 죄

15. 일본 천황의 아버지 태황제를 죽인 죄

안 의사의 진술을 들은 검찰관은 놀라 안 의사에게 '동양의 의사'라 하며 사형을 받을 일이 없을 것이니 걱정 말라고 했다. 하지만 안 의사는 "내가 죽고 사는 것은 논할 것 없고, 이 뜻을 속히 일본 천왕에게 이르시오. 그래서 속히 이토의 옳지 못한 정략을 고쳐서 동양의 위급한 대세를 바로잡도록 하기를 간

절히 바란다."고 했다. 그 후 11월 1일 우덕순, 조도선, 유동하 등 9명은 하얼빈에서 뤼순 관동도독부 감옥서로 보내졌다.

채가구역(蔡家溝驛)

채가구역(蔡家溝驛, 차이자거우역)은 안중근 의사의 이토 히로부미 주살 계획 장소로 삼았던 장소 중 하나이다. 본래 안중근 의사와 동지들은 채가구역과 하얼빈역으로 거사 계획 장소를 나누어 준비하고 있었다. 채가구역은 이토 히로부미가 탄 특급 열차가 하얼빈역으로 가기 전에 먼저 정차해야 했던 곳으로 안중근 의사와 동지들의 첫 번째 계획 장소였고 하얼빈역은 두 번째 계획 장소였다.

안중근 의사의 하얼빈 일정에 따르면 채가구역은 '김성백의 집→조린 공원→서7도가-서8도가→도리조선족중심 소학교→하얼빈역과 안중근 의사 기념관→화원 소학교'로 이어진 어제의 루트에서 도리조선족중심 소학교와 하얼빈역 사이에 있어야 한다. 하지만 김성백의 집, 조린 공원, 서7도가-서8도가, 도리조선족중심 소학교, 하얼빈역과 안중근 의사 기념관, 화원 소학교는 서로 모두 가까이에 있어 하루 만에 갈 수 있는 반면, 채가구역은 길림성에 위치하고 있어 하얼빈에서 기차로 이동해야 한다. 게다가 기차의 하루 운행 횟수가 오후에 단 두 차례만 있기 때문에 다른 유적지들과 함께 당일에 갈 수 없어 채가구역을 가는 일정을 따로 잡았다.

채가구역에 가려면 하얼빈서역(哈爾濱西驛)에서 기차를 타고 가야 한다. 안중근 의사의 의거 당시에는 하얼빈역밖에 없었으나 현재는 하얼빈에 하얼빈역, 하얼빈서역, 하얼빈동역, 하얼빈북역 등 역이 많이 생겼다. 중국의 기차표 예매 어플리케이션인 '鐵路12306'에서 예매 내역과 여권을 가지고 창구에서 발권을 했다(기차표 가격은 편도 58.5위안). 기차표는 어플리케이션으로도 구매가 가능하고 창구에서도 구매할 수 있는데 창구에서 구매 및 발권 시, 여권이 필요하다.

기차에서 먹을 간식거리를 사고 오후 1시 13분에 출발하는 K704 열차에 올랐다. 도시와 멀어지는 창밖 정겨웠다. 산과 들, 논과 밭을 지나 약 50분쯤 달

하얼빈서역

린 열차는 채가구라는 시골의 작은 역에 도착했다. 아주 한적했다. 내리는 사람도 거의 없고 역에도 탑승을 기다리는 사람이 거의 없었다. 안중근 의사 의거 시기와 변한 게 거의 없을 것 같았다. 열차에서 내리니 사람이 다니는 길이 아닌 바로 철로였다. 역무원의 안내를 따라 철로 몇 개를 가로질렀다. 옛 모습을 많이 품고 있는 채가구역의 모습에 안중근 의사와 그의 동지들이 다녀갔을 때도 비슷한 모습이었을 것이란 생각에 전율이 흘렀다.

안중근 의사가 하얼빈에 온 지 3일째 되던 10월 24일 아침, 안중근 의사는 동지인 우덕순, 조도선과 함께 하얼빈역으로 갔다. 본래 이들의 거사 계획에는 거사 지점으로 하얼빈역과 더불어 창춘(長春)도 포함되어 있었다. 허나 창춘까지 갈 차비가 부족했기 때문에 창춘에서 거사를 시도하지 못했다. 또한 이토 히로부미가 다롄(大连)에서 타고 오는 일본 관할의 남만철도(南滿鐵道)로 바로 하얼빈까지 갈 수 없어서 중간에 러시아 관할의 동청철도(東淸鐵道)로 갈아타야 했는데, 이 두 철도가 교차하는 지점이 바로 채가구역이었다. 이토 히로부미가 열차를 갈아탈 때를 기회로 삼기 위하여 채가구역으로 향했다. 이들은 채가구역에서 역 직원을 통해 10월 26일 오전 6시에 이토가 탄 열차가 도착한다는 확실한 정보를 얻었다. 그러나 오전 6시에 열차가 도착하면 날이 아직 어두워 거사가 어려울 수도 있고 이토 히로부미가 열차에서 내리지 않을 가능성도 고려

채가구역

채가구역 지하 안중근, 우덕순,
조도선 머문 장소

하지 않을 수 없었다. 만일을 위해 거사 전날인 10월 25일, 우덕순과 조도선은 채가구역에 남기로 하고 안중근 의사는 하얼빈으로 돌아가기로 했다. 이렇게 거사 계획 지점이 두 곳으로 나뉘었다. 10월 25일 이토를 태운 열차가 창춘을 지나 10월 26일 아침 6시 채가구역에 도착했다. 잠시 그곳에 정차하였지만 전날 이들의 움직임을 수상히 여긴 역무원들이 우덕순과 조도선이 머문 채가구역 지하의 숙소의 문을 잠가 이들을 밖으로 나가지 못하게 했다. 결국 채가구역에서의 거사는 실패하게 되었다.

채가구역에 도착한 나는 철로들을 지나 채가구역 출구로 나갔다. 역 건물 외부는 전체적으로 오랫동안 사람의 손길이 닿지 않아 방치된 듯 잡초가 무성했다. 지하로 내려가는 입구로 보이는 곳은 문도 부서져 있고 낮인데도 전등이 없어 어두컴컴했다. 휴대전화 불빛을 의지해서 조심스럽게 안으로 들어가 봤다. 시간이 많이 지났지만 사람의 손이 닿지 않은 덕에 안중근 의사와 우덕순, 조도선이 머물던 당시 모습 그대로를 느껴 봤다.

채가구역에서 다시 하얼빈으로 돌아가는 기차를 기다렸다. 두 동지를 이곳에 두고 하얼빈으로 돌아간 안중근 의사, 하얼빈역에서 내린 이토를 보고 채가구역의 주살 계획이 실패했음을 짐작한 그는 어떤 마음이었을까. 담대하게 이토를 향해 조준하여 총을 쏜 안중근 의사의 모습을 상상해 봤다. 안중근 의사의 탄생부터 하얼빈역에서의 이토 히로부미의 주살, 그의 죽음까지 모든 것은 그가 영웅으로 살다 갈 수밖에 없었을 운명이었다는 생각이 짙어졌다. 채가구역에 안중근 의사가 아닌 그의 동지 우덕순과 조도선이 머물며 이토 히로부미의 주살을 계획했던 것, 채가구역에서 그의 동지들의 주살 계획이 실패한 것, 하얼빈역에서 이토가 열차에서 내린 것, 때마침 감시가 심하지 않아 하얼빈역으로 들어가서 일본인 환영단 사이에서 안중근 의사가 이토 히로부미를 향해 총을 뽑은 것, 이토 히로부미의 얼굴을 알지 못했지만 그인 것을 직감하고 쏜 총이 명중되어 이토 히로부미를 하얼빈역에서 주살한 것 등 모든 상황이 그를 영웅으로 만들기 위한 하늘의 계획이 아니었을까 하는 생각이 들었다. 의사의 장부가 앞 구절이 떠올랐다.

"장부가 세상에 나오니 그 뜻이 크도다. 때가 영웅을 만들고 영웅은 때를 만드는 도다……."

하얼빈에 남겨진 안중근 의사 친척들

하얼빈에 남겨진 안중근 친척들을 간략히 소개해 본다.

우선, 독립운동가 안명근(安明根, 1879-1927)이다. 105사건의 주역이자 안중근 의사가 수감된 뤼순감옥으로 직접 면회를 했다. 또한 모친 조마리아(趙마리아, 1862-1927) 여사가 전해 준 안중근 의사 수의를 전달하였다. 황해도 신천 출신으로 안중근 의사의 사촌 동생이다. 신민회와 교류를 하였다. 안명근은 안악사건(安岳事件)[31]에 연루되었다. 일제는 105인 사건으로 확대하여 대한제국의 독립운동가를 말살하려고 했다. 이 사건으로 종신형을 언도 받고, 10여 년간 복역 후 출옥하여 만주에서 독립운동을 하다가 당시 길림성 의란현(依蘭縣, 현

31) 1910년 11월 안명근(安明根)이 서간도(西間島)에 무관학교를 설립하기 위한 자금을 모집하다가 황해도 신천 지방에서 관련 인사 160명과 함께 검거된 사건. 일제는 무관학교 설립자금을 데라우치(寺內正毅)총독 암살을 위한 군자금으로 날조, 관련 인사들을 일제히 검거하였다.

재 흑룡강성으로 편제) 토룡산진 원가툰 팔호리에서 세상을 떠났다. 안명근의 유해가 아직도 고국으로 반장되지 못하고 찾지도 못한 채 흑룡강성에 묻혀 있다. 1962년 건국훈장 독립장이 추서되었다.

둘째, 안중근 의사 친동생 안성녀(安姓女, 1881-1954) 여사의 외손녀인 김영금 여사(1938-현재)이다. 김영금은 현재 하얼빈 향방구(香坊區)에 거주한다. 흑룡강성 벌리현(勃利縣)에서 출생 했으며 하얼빈 체육대학을 졸업한 핸드볼 선수이다. 나는 한국 안중근 기념관에서 개최한 '안중근 의사 순국 후 친선의 밤'에서 만나서 현재의 생활에 대한 의견을 들었다. 중국 제1회 전국체육대회인 1958년에 대표선수로 선발, 길림성 팀과 시합 도중 심한 부상을 당했다. 심한 부상의 후유증을 가지고 50여 년을 살다가 한국의 모 병원의 도움으로 치료를 받았다. 향방구는 조선족 동포들이 많이 살고 있는 하얼빈시 중심지역으로 편재되어 있다.

셋째, 차누시아(일명 안노길)이다. 차누시아는 1913년 3월 황해도 출신이다. 안중근 의사의 사촌 동생인 안홍근(安洪根, 안명근의 친동생, 1881-1928)의 3남인 안무생(安武生)의 부인이다. 17세 안무생과 결혼하여 흑룡강성 하이룬현 하이베이진 한인 천주교회 마을에서 생활했다. 1944년 8월 27일 광복을 일 년여 앞두고 남편 안무생은 친일 세력들에게 구타를 당하여 요절했다. 남편과 비록 14년의 짧은 인연이었지만, 남편의 5촌 숙부인 안중근 의사의 이야기를 알았고, 안씨 가문의 며느리로서 자긍심과 자부심이 대단했다. 차누시아는 성을 안씨로 개명을 하여 안노길이라고 자칭했다. 광복 후 하얼빈으로 이주하여 안중근 의사 공적을 알리는데 노력을 했다. 직접 태극기를 만들어 집에 모시고, 독립군을 상징하는 군복에 별을 새긴 모자를 쓰셨다.

중국의 문화대혁명에서 자유롭지 못하여 모진 고생을 했다. 1978년 중국 내몽고 전라이 노동교화소로 넘겨져 강제 노동개조를 받았다. 1978년 20년 형기로 복역을 끝냈다. 농장원으로 일을 하다가 1998년 9월 90세의 고령이 되어 비로소 완전히 자유롭게 하얼빈으로 돌아왔다. 천주교 생활을 하던 중 당시 성모자애병원원장인 최선옥 수녀님의 보살핌을 받아 하얼빈 남강구 동대직가(南岗區东大直街) 주변 아파트에서 거주했다. 나와의 인연은 2006년 봄으로 올라간다. 안중근 의사가 수감 되었던 일본 총영사관(화원 소학교)과 멀지 않은 곳에 거주하셨다. 당시 2살이었던 나의 아들 종서를 데리고 가면 늘 반갑게 마주하면서 즐겁게 놀아 주시던 모습이 선하다. 구순이 넘으셨는데도 추석에 인사차 가면 과일 거리를 내주면서 안중근 의사의 말씀을 해주셨다. 그리고 당신의 삶도 말씀해 주셨다. 2009년까지 3년간의 인연을 가지고 있다. 항상 머리맡에 태극기와 안중근 의사 사진을 두셨다. 친히 만드신 흰색 모자와 푸른색 제복을 즐겨 입으셨다. 지금은 세상을 하직하시고 흑룡강성 상지현 옥천(尚志縣玉泉)

천주교 묘지에 계신다. 안중근 의사 의거 111주년을 맞이하는 2020년에는 이분도 새롭게 주목을 받았으면 한다.

안중근 오페라 악보가 있다

1982년 하얼빈시에서는 특별한 오페라를 연출했다. 하얼빈시 가극원에서 안중근 의사를 선양하기 위하여 오페라를 제작한 것이다. 당시 하얼빈시 문화국장 왕홍빈(王洪彬)과 흑룡강성 당사 연구소 김우종 선생과 하얼빈시 민족 사무위원회 서명훈(徐明勳) 선생, 그리고 하얼빈시 조선민족예술관의 강월화(康月华) 관장의 노력으로 이루어졌다. 하얼빈시 공연을 하고 한국에까지 초청이 되어 안중근 오페라 공연이 이어졌다. 나와 개인적으로 인연이 있는 하얼빈시 가극원의 지인이 안중근 오페라를 사진을 찍어 보내왔다. 소중한 역

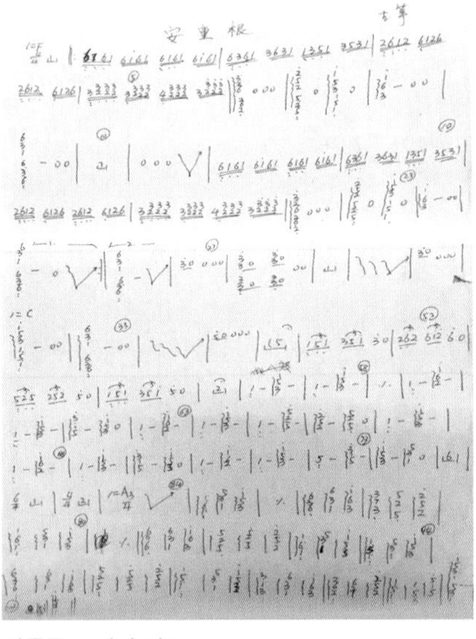

안중근 오페라 악보

사적 기록물이다. 오페라 악보가 한국으로 옮겨져 오거나 하얼빈시 안중근 의사 기념관에 소장이 되기를 바란다.

<1박 2일> 촬영 체험기, 안중근 의사 젊은이들의 레전드가 되다

2016년 1월 중순, 한국 방송공사(KBS) 예능 팀 김나영 작가에게서 연락이 왔다. KBS 2TV '해피 선데이 1박2일-하얼빈을 가다'를 제작한다고 했다. 마침 나는 방학이라 한국에 있었다. 제작진은 여의도에 있는 KBS 사무실에서 작가 4-5명을 만나서 안중근 의사에 대한 나의 의견을 듣고 제작 동기를 설명해 주었다. 돌이켜 보면 일방적인 면접을 보는 느낌이었다. 그날 이후로 김나영 작가는 나와 수시로 안중근 의사 일대기와 하얼빈 현장에 대해서 연락을 주고받았다. 김나영 작가는 정확한 역사적 사실을 바탕으로 안중근 의사의 흔적을 찾아가 보고 안중근 의사의 애국애족 정신을 반영하고자 했다. 드디어 하얼빈으로 선발대가 출발하는 날이 왔다. 2016년 2월 14일 연예인보다 이틀 먼저 도착하여 안중근 의사 행적을 찾아보고 촬영 섭외를 하는 것이었다. 방송의 진행 방법은 안중근 의사가 '이토 히로부미 저격' 거사를 준비하던 3일간의 행적을 하얼빈 내에서 시간순대로 이동해 보는 것이었다. 이동 순서는 우선, 조린공원을 시작으로 사진관 터, 김성백 집터, 하얼빈역 찻집, 하얼빈역 플랫폼, 안중근 의사 기념관 등으로 핵심 장소를 돌아보는 것이었다. 그러나 나의 제안으로 화원 소학교를 먼저 찾았다. 안중근 의사가 하얼빈 의거 후 계셨던 일본총영사관 자리다. 지하 1층이 바로 안중근 의사가 취조 받았던 장소이다. 구조는 지금 2층 이상은 증축이 되어 중간에 여관으로 사용되었으나, 지금은 중국 하얼빈시 소재 초등학교다. 지하 1층은 100년 전과 전혀 변하지 않았다는 것이 학교 관계자의 말이었다. 지하로 내려가 오른쪽 복도를 따라가다 보면 안쪽에 작은 문을 달 수 있었던 턱이 나왔다. 지금도 가보면 밖에 철망이 있는 반지하 형태의 작은 공간이 안중근 의사가 수감 되었던 장소였다. 그 순간 나는 숨이 턱 막히고 가슴이 뛰었다. 불행히도 이 장소는 방송에 나오지 않았다. 나는 장소마다 안내해 줄 전문가로 섭외가 되었다. 조린공원과 사진관 터는 이춘실 당시 하얼빈시 안중근 의사 기념관 부관장 (현 하얼빈시 안중근 의사 기념관 부관장 겸 하얼빈시 조선민족예술관 부관장)이 안내를 맡았고, 하얼빈역 내 VIP 접대실을 하얼빈 의거 당시 3등 찻집으로 재구성한 곳은 내가 안내를 맡았다. 그리고 가장 중요한 하얼빈역 1번 플랫폼 하얼빈 의거 현장도 내가 안내하고 역사적 하얼빈 의거 상황을 설명했다. 또한 안중근 의사 기념관 왕홍빈(하얼빈시 전 문화국장) 국장도 의거 상황을 설명해 주기로 했다. 연예인들이 각 장소에 도착하면 해당

장소와 관련된 자료를 보여주며 그 장소에서 어떤 일이 있었는지 설명을 해주는 형식이었다. 그러면 출연자들이 자신의 견해를 밝히며 역사적 지식을 시청자에게 알려 주는 것이다. 각각 장소에서 퀴즈를 출제하여 풀어서 맞춘 멤버에게 독립자금 50위안을 제공하기도 했다. 숙소인 마디얼 호텔에 촬영 스텝과 연예인들과 그리고 나도 묵었다.

촬영 첫날이 왔다. 테이블위에 차 4잔이 세팅된 상태였다.

PD 하얼빈에서의 첫날밤은 잘 보내셨나요?
(대답 들어보고)
- 오늘의 여행 콘셉트 고지

PD 어제 말씀드린 것처럼 이 호텔은 1906년에 지어졌는데요. 호텔이 지어지던 당시 전 세계에는 자국의 이익을 위해 약한 나라를 침략해 식민지로 삼는, 이른바 제국주의가 크게 유행을 했습니다. 자본주의의 성장으로 힘을 얻은 일부 국가들은 힘없는 나라들을 차지하기 위해 서로 치열한 경쟁을 벌이게 되는데요. 제국주의의 소용돌이가 한창이던 1909년 당시 세계 각국의 신문들입니다. 한번 보시겠어요?
- 신문 기사 자료 보여주기
이토 히로부미 저격 당시 외신 신문 기사 자료
(옛날 신문 이미지 / 뒷면 한글 번역본)
- 미국, 영국, 프랑스, 이탈리아, 러시아, 중국, 일본 -
- 사건 개요 설명

PD 서울에서 천 킬로미터 이상 떨어진 멀고 먼 중국 도시 하얼빈이 우리에게 친

숙한 건 바로 안중근 의사 때문이죠. 지금으로부터 107년 전,
1909년 10월 26일, 안중근 의사는 바로 이곳 하얼빈에서 일본의 추밀원의장 이토 히로부미를 저격했습니다.
다들 알고 계시죠?
(반응 보고)
안중근 의사의 의거는 전 세계의 이목을 집중시킨 엄청난 사건이었는데요.
의거 직후부터 단 열흘 동안 이 소식을 전하기 위해 전 세계에 타전된 전보가 무려 9만여 건에 달했을 정도라고 하니.. 얼마나 대단한 사건이었는지..
짐작 가시나요?
(반응 보고)
여러분이 들고 계신 신문들이 바로 안중근 의사의 의거를 보도한 것들입니다. 인상 깊은 구절이 있나요?
- 〈이토 히로부미〉 설명

PD 그렇다면 안중근 의사가 저격한 이토 히로부미는 누구일까요? 왜 안중근 의사는 그를 죽이기로 결심했을까요?
(대답 또는 반응 보고)

이렇게 역사적인 촬영이 시작되었다. 첫날밤에 중앙대가에서 노숙을 한 연예인들이 춥고 피곤할 터인데도 촬영에 진지하게 임했다. 김준호 연예인은 촬영 당일 아침에 북경에서 합류했다. 모두가 준비를 많이 한 모양이다. 하얼빈과 안중근 의사에 대한 지식이 해박했다. 특히 김종민 연예인은 코믹한 캐릭터와 달리 안중근 의사에 대한 지식과 퀴즈를 잘 맞추어 독립자금을 두둑이(?) 챙겼다. 4명의 연예인은 한국으로 귀국을 하고, 두 명의 연예인과 촬영 스텝 일부하고는

하얼빈서역에서 다롄북역으로 가는 기차를 타고 이동했다. 촬영은 안중근 의사가 순국하신 뤼순으로 이어졌다. 관동법원과 뤼순감옥, 뤼순감옥 공동묘지에서 모든 촬영이 끝남을 알리는 슬레이트 세레모니를 하면서 마무리를 했다.

역사적 현장에서 하얼빈시와 안중근 의사를 그리운 고국 대한민국 국민에게 3번에 걸쳐 방송을 했다. 특히 2016년 3월 20일은 안중근 편이었다. 나는 모든 촬영을 맞춘 상태에서도 분주했다. 나는 방송 당일 자막을 정확히 조정하고 사실을 전달하려는 PD들과 작가들의 노력에 감탄을 금할 수 없었다.

방영 후 국민들의 관심과 호응은 가히 폭발적이었다. 예능이 아닌 다큐를 본 듯 역사적 현장에 같이 있었던 것처럼 현실감이 생생했다는 것이다. 또한 안중근 의사와 함께한 한편의 영화를 촬영한 것 같다는 언론의 평가도 나왔다. 14.8%의 대단히 높은 시청률이었다. 70여 분의 방송 내용을 학생 교양 교재로 활용한다는 선생님들도 있었다. “안방에서 역사를 봤다”, “안중근 의사의 이 먹먹한 사연을 이제껏 다 모르고 살았습니다. 죄송하고 죄송합니다.”, “오늘 ‘1박2일’ 레전드, 5년 넘게 본 중 최고”, “이 가슴 아픈 역사를 예능에서 볼 줄이야. 교과서가 안 부럽네요.” 등과 같은 호평들이 쇄도했다. 국민들의 폭발적 관심과 사랑이었다.

바로 중국 바이두에 방송 영상이 올라오자 며칠 만에 백만 건이 넘는 중국인들의 시청 기록이 달렸다. 또한 방송의 전체 내용을 KBS 자료실에 보관한다는 후문도 들렸다. 방송통신심의위원회가 뽑은 3월의 좋은 프로그램으로 선정되었다고 했다. "중국 하얼빈에 남아있는 안중근 의사의 자취를 따라 역사의 현장을 돌아보면서 안중근 의사의 의거를 현장감 있게 재조명하고, 젊은 시청자에게 역사적 사실을 쉽게 전달했다"고 선정 이유를 이야기했다.

2016년에 1박 2일의 멤버 연예인이 KBS 2106년 연예인 대상을 수상하기도 했다. 당시 기획단계부터 선발대, 촬영, 그리고 방송 자막 검증에 참여했던 나로서는 안중근 의사를 대한민국 국민에게 각인시킨 매우 인상 깊은 방송이었다. 한중 관계가 조속히 복원되어 다시금 안중근 의사를 중국 내 전체 유적과 삶의 궤적을 찾아가는 더 많은 다큐는 물론 젊은 대한민국 청년들과 학생들이 관심을 갖는 방송이 꾸준히 제작되길 바란다.

하얼빈과 나

2005년 9월 말이었다. 내 인생의 전환점이 될 제안을 받았다. 그때 그 순간이 나의 인생을 통째로 바꿔 놓을 줄 그때는 알지 못했다.

나는 마포에서 사회조사 및 연구 리서치 사무실을 운영했다. 제법 굵직한 프로젝트도 수행하는 리서치였다. 나는 그때 사무실을 운영하면서 서울 교육대학교 사회학과에 출강을 하고 있었다.

친한 고등학교 친구와 업무적으로 왕래하는 지인들이 사무실에 자주 방문했다. 덕분에 중국 하얼빈과 심양, 북경을 지인의 가족과 같이 방문 한 적도 있었다. 한 지인은 마포역 부근에 중국 관련 유통업체를 분양하는 사무실을 운영하고 있었다.

그 지인과 여러 번 만남을 가졌는데 9월 말 쯤 나를 찾아왔다. 하얼빈에 유통업체를 운영하고 있는데 안중근 의사 동상을 세운다는 것이었다. 그 지인은 나한테 안중근 의사 동상 설립을 위한 실무를 맡아 달라고 했다. 전혀 생각해 보지 않은 일이었다. 그때 내 나이가 서른아홉으로 마흔을 코앞에 두고 있었다. 불혹이라는 나이에 국내도 아닌 국외에서 사사로운 일도 아니고 민족의 영웅 안중근 의사 동상 설립에 대한 막중한 책임을 어찌 수행할 것인가. 당시 나는 하얼빈과 안중근 의사에 대해 교과서에 언급한 정도만 알고 있었다. 게다가 중국어도 한국 방송통신대학교 중문과에서 2년간을 수학했지만 어눌한 정도였다. 또한 가족도 어찌해야 할지 쉽게 결정할 수 있는 일이 아니었다. 하얼빈에 안중근 의사 동상을 세우는 일은 비밀로 해야 되는 일이라 가족이나 친지에게 사실대로 알릴 수도 없었다.

부랴부랴 사무실을 정리하면서, 일단 기다려 달라고 말했다. 출강하던 수업도 마무리하고 성적 처리를 완료하던 날이 바로 2005년 12월 중순이었다. 순간순간 내 결정이 올바른지 제대로 하고 있는지 회의가 밀려왔지만 이미 내딛은 발길이었다.

2005년 12월 20일 드디어 하얼빈 태평 국제공항에 도착했다. 하얼빈의 12월. 공항 밖으로 펼쳐진 흑룡강성은 가도 가도 끝이 없는 설원이었다. 중국어라고는 오직 일상회화 두세 마디가 고작인데 나에게 주어진 책임은 너무 막중했다. 하얼빈 시내에 도착했다.

그 해 겨울 하얼빈은 나에게 유난히 춥게 느껴졌다. 문밖으로 세 발자국만 나가면 코가 떨어져 나갈 것 같았고 입이 얼어붙었다. 빙판길이 미끄러워 넘어지기 일쑤였다. 옷 속으로 들어오는 칼바람은 뼛속까지 시릴 정도로 매서웠다. 오후 4시만 되면 깜깜한 저녁은 더 맹렬한 추위가 몰아쳤다. 숙소에 들어가서 잘 도착했다는 메일을 간단하게 집으로 보냈다. 하얼빈 송화강 북쪽에 있는 아파트를 얻어 단체로 숙소를 정했다. 매일 봉고차로 중앙대가 옆에 있는 상지대가 사무실로 출퇴근을 했다.

당시 안중근 의사의 동상은 다롄 모처에서 제작이 되고 있었다. 설계와 디자인은 하얼빈 공업대학의 양세창 교수가 했다. 중앙대가에 가면 마차를 타는 조형물이 있다. 그 조형물이 양세창 교수의 작품이다.

우리가 세울 안중근 의사의 동상 구조는 기단과 안중근 의사 전신상이었다. 기단은 2미터 였고, 안중근 의사의 전신상은 약 3미터, 대략 5미터의 동상을 세워야 했다. 컨셉은 단지를 형상화하여 왼손 무명지 한 마디를 잘라 표현하였고 옷은 하얼빈 의거 당시의 코트를 입은 형태로 표현 했다. 안중근 의사 동상 모형은 안중근 의사 숭모회의 자문을 구하고 안중근 의사 동상 설립 사실도 알렸다.

먼저 흙으로 부조를 뜨고, 동상은 청동으로 제작했는데 대단히 무거웠다. 기단에 '안중근(1879.9.2.~1910.3.26.)'이라 쓰고 단지를 한 손바닥 도장 즉, 장인 옆에 '천여지맹(天與地盟, 하늘과 땅의 맹세)'이라고 썼다. 이 과정은 설립자가 중국동포의 도움을 받아 진행했다.

나는 동상을 현장에 설립하는 단계에 투입이 되었다. 동상을 세우는 중앙대가는 주말에 30만여 명이 찾는 하얼빈 최고의 번화가였다. 백화점과 명품거리가 있는 곳으로 하얼빈 시민과 외국 관광객이 찾는 최고의 장소였다. 하얼빈역에 설립하면 좋겠지만 하얼빈역은 중국 철도국의 관할 구역이라 할 수가 없었다. 설립 지점 바로 앞에 일본의 백화점이 있어서 약간 방향을 틀어 기단을 먼저 세웠다.

시멘트로 기단을 세워 놓으니 많은 시민들이 궁금해 하며 기웃거렸다. 중앙대

안중근 의사 동상 제막식

가의 거리는 화강암 조각들로 포장이 되어 있었다. 중앙대가와 서11도가가 만나는 지점에서 서11도가 쪽으로 약 10미터 들어간 지점이 바로 동상 설립 장소였다.

동상을 세우기 전에 동상 제막식을 할 때 동상에 씌울 백색 천도 마련해야 했는데 가까운 맨허튼 도매 상가에서 서툰 중국어로 손짓 발짓을 해가며 간절하게 설명을 했더니 백색 천과 손 고리가 알맞게 제작이 되어 제막식을 무사히 준비할 수 있었다.

드디어 2006년 1월 16일 새벽 3시에 안중근 의사 동상이 다롄에서 하얼빈에 도착했다. 하얼빈에서 일 년 중 가장 추운 1월의 새벽이었다. 청동으로 만든 동상에 손이 쩍쩍 달라붙었다. 동상을 간신히 고정시키고 설립자와 같이 사다리를 타고 동상을 물걸레로 닦는데 꽁꽁 언 손은 감각이 없어 남의 손 같은데 마음과 손이 따로 놀아 간신히 동상에 천을 씌우고 고정을 시켰다.

드디어 오후 두 시.

다롄에서 관광버스로 다롄한인회원들이 도착했다. 서울에서는 안중근의사

건물 내 안중근 의사 동상

숭모회 관계자도 도착했다. 나는 설립자의 취지서, 행사 프로그램 등을 치밀하게 가다듬었다. 역사적 순간을 맞기 위해 나도 예의가 필요했다. 안중근 의사를 모시는데 작업복 차림은 안 된다는 마음에 가까운 상가에 가서 중저가 윗옷만 사 입고 청바지 상태로 손님들을 맞았다. 방명록을 준비하여 중국 땅 하얼빈에 역사적인 안중근 의사 동상 설립을 축하하기 위해 오신 200여 명 정도 오신 축하객들에게 방명록을 쓰게 했다.

하얼빈 한인회, 유학생 등 어림잡아 200여 명 정도 되는 손님들이 꽁꽁 언 하얼빈 설원에 안중근 의사의 뜨거운 애국으로 모인 순간, 아뿔싸! 미리 부탁한 플래카드가 제작이 늦어져 제시간에 오지 못했다. 이가 없으면 잇몸으로라

했던가. 즉석에서 백색 천에 글을 썼다. 〈안중근 의사 동상 제막식, 2006년 1월 16일〉. 나는 감격 어린 목소리로 마이크를 잡았다.

"지금부터 안중근 의사 동상 제막식이 거행되겠습니다."

목소리가 흥분으로 갈렸다. 이렇게 역사는 시작되었다.

그러나 문제는 그 다음날부터였다. 하얼빈시 외사처에서 사무실로 연락이 왔다. 안중근 의사 동상 설립을 조사한다는 것이었다. 설립자와 동상 설립에 관계된 동포가 조사를 받았다. 외국인의 동상은 외부에 설립을 불허한다는 것이었다. 그 후로 안중근 의사 동상은 천으로 감싸져야 했다. 그리고 11일 만에 지하 건물 공간으로 이동되고야 말았다. 우리는 그곳을 안중근 의사 전시실로 활용하기로 하고 안중근 의사 동상과 기단에서 떼어 낸 표지석을 전시했다. 또한 안중근 의사 유묵을 배치하여 사람들이 볼 수 있게 했다. 한국에 유학을 다녀온 중국 여직원도 채용했다. 그리고 벽에 '안중근 의사님은 이제 우리 모두의 희망입니다'라는 글을 붙여 놓았다. 그 후 대전에 있는 〈충남 서예가 협회〉의 주선으로 하얼빈 안중근 의사 서예전을 개최했다. 다행히 하얼빈을 찾는 한국인들이 안중근 의사 동상을 찾아 추모를 했다. 그렇게 삼 년이 흘렀다.

그동안 안중근 의사 동상을 하얼빈에 둘 것인지 아니면 한국으로 모실 것인지에 대한 동포사회의 어르신들과 설립자 그리고 나는 난상토론에 돌입했다. 여기까지가 나의 역할이었다.

결국 설립자의 결정으로 안중근 의사의 동상은 고국으로 모셔졌다. 동상을 모시고 다롄 뤼순에 들려 진혼제를 지내 드렸다. 그 후 한국에 온 동상은 대한민국 국회 앞뜰에 모셔져 있다가 하얼빈시와 부천시의 자매도시 결연을 계기로 부천 중동공원에 안중근 의사 동상이 모셔져 지금에 이르고 있다. 후에 중동공원은 안중근 공원으로 개명했다.

안중근 의사님께 너무 죄송하고 부끄러운 과거의 일이지만 내가 기억하는 만큼 기록으로 남기고자 한다.

나는 평소 지론을 가지고 있다.

“문제 제기는 누구나 할 수 있다. 그러나 해결책을 내야 한다. 그게 책임이다.”

이렇게 나의 하얼빈의 인생은 시작되었고, 하얼빈은 나의 제2의 고향이 되었다.

2005년 6월에 나의 아들이 태어났다. 중국에 간 다음해 장인어른이 세상을 떠나셨다. 설립자와는 1년간 같이 숙식을 보조 받으면서 생활 했다. 그 후 나는 하얼빈 공업대학 주변에 아파트를 얻어 나왔다. 아들이 태어난 지 1년 만에 하얼빈으로 아내를 불러와 아내와 아들과 같이 2년간 생활했다. 나는 별다른 수입원이 없는 상태에서 안중근 의사 동상을 모시는 일을 했다. 그나마 내가 하얼빈에 오기 전 마련했던 부동산을 상당수 처분하여 생활을 이어가야 했다.

수입을 위하여 하얼빈 이공대학에 출강을 하면서 그나마 기초생활을 유지 할 수 있었다. 나를 둘러싸고 있는 가족과 한국의 지인들은 안중근 의사 동상을 설립할 당시에는 축하와 격려를 해 주었으나 나의 중국 생활이 장기화 될수록 염려로 변해 갔다. 사실 그때의 나의 삶은 초근목피로 영위했다고 해야 할 상황 이었다.

안중근 의사의 선양보다 안중근 의사가 남겨주신 숙제를 해결하고자 2011년 직장을 변경하여 다롄 뤼순으로 옮겼다. 이렇게 중국에서 새로운 나의 2번째 인생이 시작되었다. 안중근 의사 유묵에 '모사재인성사재천((謀事在人成事在天)' 이란 구절이 있다. 일을 도모하는 것은 사람에게 달려 있고 완성하는 것은 하늘의 뜻에 달려 있다. 이제 다시 임중도원(任重道遠)의 마음으로 매진하려 한다.

다시 하얼빈에 왔다.

"장부가 세상에 처함이여, 그 뜻이 크도다. 때가 영웅을 지음이여. 영웅이 때를 지으리로다." 라고 말씀 하신 안중근 의사. 의사님이 묵으셨던 김성백의 집과 그리고 하얼빈 공원과는 불과 10분도 안 떨어진 중앙대가와 서11도가. 그 자리에 다시 내가 서 있다.

14년하고도 딱 한 달 하루 만에 그 역사의 땅에 다시 섰다. 14년 전, 이 땅에 세웠던 안중근 의사 동상. 수많은 고초 속에 부천시 안중근 공원에 모셔진 동상을 나는 지금 마음의 눈으로 마주하고 있다.

나의 미래를 바꾸었던 순간, 2006년 1월 16일 오후 3시. 중앙대가와 서11도가에 안중근 의사 동상이 설립되던 그때 그 순간이 내 인생의 전환점이었다. 나에게 새로운 도전과 시련을 주는 순간이라는 걸 그때는 알지 못했다. 안중근 의사가 내 안에 들어와 나의 혼신을 사로잡는 순간이었지만 그때 나는 오로지 하얼빈에 안중근 의사의 동상을 세운다는 그 생각 밖에는 없었다. 그러나 그 후부터 나는 안중근 의사의 삶속으로 세밀한 부분까지 빠져 들어갔다. 한 영웅의 삶을 위해 내 인생 전체를 바쳐도 아깝지 않다는 사실을 뼈저린 아픔으로 느끼면서 안중근 의사의 삶에 감동했다.

그 일들이 나에게 수많은 고통과 슬픔과 막연함과 때로는 분노를 느끼게 했지만 동토의 땅에 얼떨결에 내딛은 내 발자국을 내 스스로 책임을 져야 한다는 자각이 내 뼛속까지 파고들었다.

서른 한 살의 청년 안중근 의사. 동양평화를 위해 낯선 땅에서 그가 당긴 방아쇠의 의미를 그대로 저버릴 수가 없었다. 국가와 국가 간의 넘을 수 없는 장벽 앞에서 눈물도 흘렸고, 화를 내기도 했고, 스스로 이 길을 내가 왜 가고 있는가에 대해 수없는 질문을 던졌다. 그러나 이 길은 안중근 의사의 숭고한 희생을 기리고 기억해야 하는 후손들의 마땅한 도리였기에 내 삶의 많은 부분을 희생했지만 결코 후회하지는 않는다. 앞으로도 더 많은 시간과 열정과 꿈을 펼쳐야 한다. 세세한 기록들을 다 쓸 수 없는 것이 안타깝지만 그것이 나의 한계라 생각하고 잠시 내 마음 안에 묻어 둔다.

당시 영하 20도의 추위 속에 모셔졌던 안중근 의사. 그 자리는 아무 흔적도 없이 보도블록만 허무한 역사를 침묵하고 있다. 동상을 세운 지 딱 11일 만에 철거되어 3년간 모셨던 지하실 공간은 이제 백화점의 슈퍼 음식 코너가 되어 있었다. 당시에는 가까스로 세운 안중근 의사 동상을 강제로 철거시켰는데 지금은 하얼빈역에 안중근 의사 기념관이 들어섰다. 한국과 중국의 안중근 의사에 대한 관점이 바뀐 반증이다.

14년의 세월을 그 현장에서 돌이켜 본다. 당시 동상 설립의 실무자로, 팔팔했던 청년은 간데없고 어느새 반백의 초로로 변한 내 모습을 발견한다. 앞으로 10년 후에 이 자리에서 안중근 의사의 유해를 모시고 가까운 거리에 있는 하얼빈 공원에 가서 "내가 죽거든 하얼빈 공원으로 반장해 다오."라고 말씀하신 안중근 의사가 그토록 염원했던 바람을 실천하겠다고 두 주먹을 꼭 쥐고 마음을 다잡는다. 가슴에 뜨거운 열망이 솟구친다.

여전히 하얼빈의 겨울은 아직도 추운데 한중관계가 조속히 회복되어 온 국민의 염원인 안중근 의사의 유해 찾기에 함께 두 손을 맞잡아 주기를 간절히 기원해본다.

일본 식민시기 지역을 가다

오늘은 일제(日帝)로 인한 침략의 아픔과 치열했던 항일(抗日)의 역사 속으로 들어가 봤다. 일제는 조선 침략뿐 아니라 침략의 야욕을 중국으로까지 뻗쳤다. 1931년 9월 18일 만주사변(滿洲事變)[32]을 일으켜 만주 전체를 점령한 일본은 1932년 3월 1일 만주국 괴뢰 정권을 수립하여 동북지역을 14년간 통치했다.

당시 하얼빈을 포함한 중국의 동북지역에는 조선인들도 많이 살았는데 일제의 수탈에 못 이겨 이주하거나 경술국치(庚戌國恥) 이후 독립운동을 위해 망명 온 독립운동가들도 있었다.

망명을 온 독립운동가들은 타국에서도 자신의 안위보다 조국 독립을 위해 자신을 희생했다. 또한 동북항일연군(東北抗日联军, 동북인민혁명군)[33]에 참가하여 중국인들과 함께 일제에 맞서 무장 항일투쟁을 벌이며 큰 활약을 한 조선인들도 있었다. 중국이라는 타국에서 항일독립운동을 견지한 독립운동가들의 발자취를 따라가 보자.

---

32) 1931년 9월 18일 밤, 일본 관동군은 류타오후사건(柳條湖事件)으로 시작으로 만주를 침략했다. 관동군의 계획에 따라 봉천(奉天) 외곽의 심양(瀋陽, 당시 봉천(奉天)) 부근의 류타오후에서 그들의 관할인 남만(南滿) 철도 노선을 철도 수비대가 폭파한 뒤, 중국 군대에 누명을 씌웠다. 관동군은 이를 구실로 삼아 심양을 포격하였고 이어 동북 3성을 침략했다.

33) 만주 지역의 항일투쟁을 위해 중국 공산당이 결성한 무장항일단체. 가장 규모가 컸을 당시 총 약 4만 명 정도의 규모였다. 동북항일연군에 참가한 조선인들은 중국인들을 따라가는 성격의 활동이 아닌 고위 간부로 활동하는 등 치열한 전투 속에서 만주 지역의 항일투쟁을 견지했다.

동북열사기념관(東北烈士紀念館)과 조선 출신 항일연군

중국 동북지역은 일제의 침략에 맞서 중국인뿐 아니라 조선인들이 항일독립운동을 격렬히 전개하던 지역이다. 하얼빈에는 동북 항일독립운동에 참여한 열사들을 기념하고 있는 동북열사기념관이 있다.

하얼빈 남강구 일만가 241호(南崗區一曼街241號)에 위치하고 있는 동북열사기념관은 원래 1931년 도서관(동성특별구 도서관(東省特別區圖書館))으로 지어졌다. 그러나 일제가 중국 동북을 무장 점령한 후, 1933년에는 만주국 하얼빈 경찰청으로 점용되었다.

이후로 이곳은 일제에 대항하는 중국인 및 조선인들을 잔혹하게 탄압하는 장소가 되었다. 수많은 항일독립 열사들이 이곳에서 고문을 받거나 죽었다. 1946년 하얼빈이 일제로부터 해방된 이후에 동북행정위원회(東北行政委員會)는 동북 항일전쟁과 해방 전쟁 초기에 희생된 혁명 선열들을 추모하고 기념하기 위해 이곳을 동북열사기념관으로 개조하여 개관했다(매주 월요일 휴관. 입장료 무료).

마침 방문한 날이 토요일이라 건물 앞부터 사람들이 많았는데 대부분 학생들이었다. 학교 숙제로 방문한 것인지 친구들과 함께 온 학생들이 기념관을 배경으로 서로의 사진을 찍어주고 수첩에 무언가 열심히 기록하고 있었다. 여권을

동북열사기념관

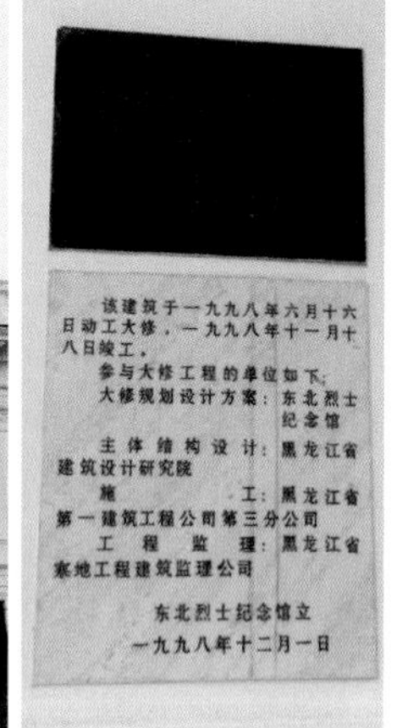

동북열사기념관 안내판

보여주고 입구를 통과한 뒤 관람을 시작했다. 기념관에서는 당시 사용했던 무기들과 깃발, 항일열사들의 유품, 항일투쟁을 그린 그림, 항일열사들의 모형과 사진, 동북항일연군의 분포 지도 등을 전시하고 있었다.

이곳에서 주요 열사 164명을 기념하고 있었는데 그중 32명은 조선인이라는 사실이 놀랍기도 하고 자랑스러운 마음에 가슴이 벅찼다. 관람을 온 중국 학생들과 함께 하얼빈지역 사람들과 항일독립운동 열사들에 대한 잔악한 통치를 보며 그 속에서도 굽히지 않은 열사들의 행적을 확인할 수 있었다. 중국 땅에서 동북항일연군으로 일제에 맞서 끝까지 독립운동을 했던 조선인들을 기억하고 기리는 마음으로 한국 사람들도 많이 찾아오면 좋을 것 같다는 생각이 들었다.

화원 소학교(哈爾濱市花園小學, 옛 하얼빈 주재 일본총영사관)와 독립운동가

안중근 의사가 하얼빈에서 열하루 동안 머물렀던 일정을 따라가며 들렀던 옛 일본총영사관인 화원소학교를 다시 찾았다. 안중근 의사가 하얼빈 의거 후 압송되었던 이곳 일본총영사관은 허형식 장군이 1930년 5월 1일 반일(反日) 투쟁을 하며 습격한 곳이기도 하고 독립운동가 김동삼(金東三, 1878-1937) 선생과 남자현(南慈賢, 1872-1933) 선생 등 만주에서 독립운동을 하던 독립운동가들이 체포되어 압송되었던 곳이기도 하다. 반쯤 보이는 철창 창문에 허리를 숙여 바라보며 이곳 지하 어딘가에서 고문과 고초를 당하셨을 김동삼 선생과 남자현 선생을 떠올려 보았다.

일송(一松) 김동삼[34] 선생은 1878년 경상북도 안동(安東)에서 태어나 30세가 되던 해인 1907년 고향에 신지식인을 양성하기 위하여 협동학교(協東學校)[35] 설립에 참여했다. 이것을 시작으로 본격적으로 독립운동에 발을 내디뎠다. 1910년 경술국치 이후 국내에서의 인재 양성에 어려움이 있다고 판단하여 만주로 망명했다. 1911년 1월 남만주(南滿州) 삼원보(三源堡)에 도착하여 신흥

---

34) 1962년에 건국훈장 대통령장에 추서되었다.

35) 경상북도 안동 지역 최초의 근대식 중등 교육 기관으로 청년들에게 신교육을 실시함. 유인식(柳寅植), 김후병(金厚秉), 하중환(河中煥)이 협동학교 설립을 위해 앞장섰으며 김동삼도 협동학교를 경영하는 일선에 나서 청년들을 계몽운동의 주체로 육성함.

학교(新興學校)[36]를 설립하고 경학사(耕學社)[37] 결성에 참여하여 초대 사장 이상룡을 도와 독립운동기지 건설에 헌신했다. 이후 남만(南滿)의 한인 자치기관으로 부민단(扶民團)을 조직했다. 1914년에는 백서농장(白西農庄)을 건립하여 신흥학교 졸업생들과 그 분교의 졸업생들을 이끌고 통화현(通化縣) 팔리초(八里哨)에서 군대를 창설했다. 백서농장은 군 조직이라는 것을 감추기 위해 농장이라는 이름을 사용하였으나 독립군 기지 및 군 조직이었다. 1919년 2월에 길림(吉林)에서의 「대한독립선언서(大韓獨立宣言書)」 발표 당시 이상룡과 함께 민족대표 39인 중 한 사람으로 서명했다. 또한 남만을 통한 한족회(韓族會)를 결성하였고 상해민족대표대회(上海民族代表大會)에 한족회 대표로 출석했다. 1922년에는 홍경현(興京縣)에 남만의 자치 군사기관으로 대한통의부(統義府)를 조직하여 총장이 되어 만주독립군의 중요한 역할을 했다. 1923년 북경(北京)에서 열린 국민대표대회에 서로군정서(西路軍政署)[38] 대표로 참석하고 의장(議長)을 역임했다. 1931년 만주사변(滿洲事變) 당시 10월 4일 하얼빈에 있는 정인호(鄭寅浩)의 집에 투숙하다가 동지 이원일(李源一)과 함께 일본총영사관 경찰

---

36) '신흥(新興)'은 신민회의 정신을 계승하는 의미의 '신(新)'과 다시 일어난다는 의미의 '흥'독립운동기구가 되어야 한다는 의미의 '흥(興)'을 뜻함.

37) 농업개발, 군사교육, 민족의식 고취의 활동을 한 독립운동 기구.

38) 만주에서 조직된 무장독립운동단체. 한족회(韓族會) 산하단체로 남만주 독립운동의 총본영인 군정부(軍政府)를 구성하였으나 대한민국임시정부의 수립 후, 명칭 문제로 인해 1919년 5월 대한민국임시정부 관할의 서간도 군사기관인 서로군정서로 개편됨.

에 의해 피체(被逮)되어 하일빈 주재 일본총영사관에 구금되었다. 일본총영사관에 구금된 지 한 달 후인 11월 9일 치안 유지법 위반으로 신의주지방법원 검사국으로 송치되었다가 경성감옥에서 10년형을 받았다. 복역 중에도 투쟁을 멈추지 않았던 그는 투옥 6년째 되던 해인 1937년 4월 13일 옥중에서 서거하셨다.

독립군을 지휘 및 육성하고 독립군 대통합을 위해 헌신한 만주 지역 독립운동계의 최고 지도자 김동삼은 죽기 전 유언을 남겼다.

"나라 없는 몸 무덤은 있어 무엇 하느냐. 내 죽거든 시신을 불살라 강물에 띄워라. 혼이라도 바다를 떠돌면서 왜적이 망하고 조국이 광복되는 날을 지켜보리라."

옥중에서까지 조국의 독립을 위해 투쟁하였던 일송 김동삼 선생은 그의 호(號)처럼 변하지 않는 푸르른 소나무와 같이 자신의 생전 삶과 죽은 후의 삶까지 모두 조국에 대한 지조를 지키며 독립운동에 헌신한 것이다.

하얼빈 주재 일본총영사관에 구금되었던 또 다른 독립운동가 남자현 선생은 독립군의 어머니, 여자 안중근, 효부, 열녀 등으로 불리며 무장 항일투쟁에 몸을 바쳤던 분이다. 잘 알려져 있다시피 2015년에 개봉한 영화 〈암살〉의 전지현 배우가 연기한 안옥균 역할의 모티브가 된 분이기도 하다.

1872년 경상북도 영양(英陽)에서 출생한 그녀는 의병이었던 남편 김영주(金

永周)가 전사하자 원수를 원수를 갚고 싶었으나 자식과 시어머니를 봉양하기 위해 가족의 생계를 책임졌다.

그녀의 나이 46세가 되던 1919년에 3·1운동이 일어나자 진정한 남편의 원수를 갚는 길은 항일독립운동이라 판단하여 아들과 만주로 이주했다. 랴오닝성 통화현에 도착해 서로군정서에 가입하여 군사들을 뒷바라지 했다. 동시에 만주의 농촌 지역에 12개의 교회 건립 및 10여 개의 여자교육회 설립 등의 활동도 했다. 1925년에는 채찬(蔡燦, ?-1924), 이청산(李靑山, (1893)-?) 등과 함께 사이토 마코토(齋藤實) 총독 주살을 계획하였으나 실패하였다. 1928년에는 안창호(安昌浩, 1878-1938), 김동삼 등 47인이 검거되었을 때, 이들의 간호와 석방운동을 했다. 1931년에는 김동삼 등이 하얼빈에서 피책되었을 때 그녀의 남편과 김동삼 선생의 본관이 같은 의성 김씨라는 것을 이용해 그의 친척인 척 위장해서 면회를 통하며, 연락책 역할과 구출 작전을 계획하였으나 실패했다.

1932년에는 중국의 제소를 받고 파견된 국제연맹(國際聯盟)의 리튼 조사단(調査團)이 하얼빈에 방문한다는 소식을 듣고 일제의 만행을 호소하기 위해 자신의 왼손 무명지 두 마디를 잘라 하얀 천에 '한국독립원(韓國獨立願)'이라고 혈서를 써서 잘린 손가락과 함께 조사단에게 전달했다. 1933년 이규동(李圭東, 1889-1950) 등과 만주국 일본대사 무토 노부요시(武藤信義)를 주살할 것을 계획하고 하얼빈에서 폭탄을 운반하다가 일본 경찰에 체포되어 하얼빈 주재 일본총영사관에 구금되었다. 일본총영사관 지하 감옥에서 여섯 달 동안 모진 고문을 받던 그녀는 죽음으로 항거하기 위해 단식에 들어갔으나 생명이 위독해지자 보석으로 풀려났다. 그러나 그해 8월 "독립은 정신으로 이루어진다."는 유언을 남기고 서거하였다.[39]

독립운동가 안중근, 허형식, 김동삼, 남자현의 조국 독립에 대한 뜨거운 마음과 혼이 이곳 옛 일본총영사관에 남겨진 듯하다. 자신의 안위보다는 오로지 조국의 독립을 위해 일제에 맞서 장렬히 자신을 희생하신 분들의 발자취를 따라가 보며 그들의 독립에 대한 열망에 내 몸과 마음도 뜨거워지는 듯했다.

"역사를 잊은 민족에게는 미래가 없다."라는 단재(丹齋) 신채호(申采浩, 1880-1936) 선생님의 말씀처럼 가슴 아픈 일제의 조선 침략의 역사와 더불어 자신의 몸을 던져 조국 해방을 위해 자신의 한 몸 던졌던 독립운동가들을 잊지 말아야 할 것이다. 난세에 자신을 불태운 이들이야말로 진정한 영웅이다. 아직 더 밝혀지지 못한 영웅들의 이름도 불러 볼 수 있는 날을 염원하며 이곳에서 하얼빈의 독립운동 영웅들의 이름을 불러본다.

---

39) 남자현 선생은 지단가(地段街)의 조선인 조씨가 운영하는 여관에서 아들과 손자를 보면서 순국했다. 남자현 선생의 유해는 하얼빈 만국 공동묘지에 묻혀 있었다. 만국 공동묘지가 이전하면서 유해가 멸실되었다. 초혼묘가 있다. 1962년 건국훈장 대통령장에 추서되었다.

731 부대-악마의 블랙박스가 열리다

제731부대죄증진열관(侵華日軍第七三壹部隊罪證陳列館, 이하 731부대)는 하얼빈에 전철이 개통이 되어 접근이 편리하다. 전철을 타고 신장대가 역에서 내리면 지척이다. 하얼빈시 하남공업원구에 위치한다. 나는 2015년 8월 15일 731부대에 신관 개관식에 참여했다. 항공반에서 아들과 한 달간 거주했다. 731부대 터는 2015년 1월 인근 공장을 매입하여 8월 15일 개관을 앞두고 개관 준비 지도위원으로 일에 참여했다. 한국인으로는 단 3명이었다. 나와 아들 김종서, 그리고 김성배(731부대 객원 연구원)이다. 이곳은 마루타, 이시이 부대로 알려져 있다. 공식적으로는 침화 일군 제731부대 죄증진열관(侵华日军第七三一部队罪证陈列馆)이다. 침화 일군 제731부대 죄증 진열관의 존재는 1981년 작가 모리무라 세이치에가 '악마의 포식'에서 세상에 처음 알렸다. 지금도 일본은 공식적으로 이 부대의 존재를 부정하고 있다. 스페인어 디아블로(diablo)는 악마라는 뜻이

2015년 731부대 재개관 당시 중국 CCTV와 인터뷰하는 저자의 모습

모리무라 세이치가 731부대 진상을 폭로를 소개하는 중국 방송

2015년 8월 신관 개관 당시의 공사 중인 모습

다. 디아블로는 그리스어로 '둘로 나눈다'라는 의미가 있다. 고대부터 악마는 둘로 나누는 분열의 존재인 것이다.

일본의 악마적 정체이자 증거인 731부대는 공식적으로 '관동군 검역 급수부'로 불렸지만 일본의 악마 속성의 결정체로 악마의 판도라 상자이다.

731부대 신관은 2015년 8월 15일 개관했다. 이를 중국에선 하늘에서 떨어진

2015년 8월 신관 개관 당시의 공사 중인 모습

블랙박스로 명명했다. 731부대는 1933년에 세워져 1945년까지 대규모 비인도적이고 야만적인 인체실험을 자행했다. 인체실험을 위한 특설 감옥을 만들었다. 세균 연구 분야를 위해 페스트 연구반, 탄저 연구반, 콜레라 연구반, 결핵 연구반, 병리 연구반, 혈청 연구반, 동산 연구반 등을 설치했다. 50여 종의 세균과 바이러스를 사용해 대규모 인체 실험을 자행했다.

일본의 악마적 정체, 블랙박스가 열리면서 세상의 악마가 튀어나온 것이다. 이것이 현재 하얼빈시 평방구(平房區)에 있는 '침화 일군 제731부대 죄증진열관'의 전시 콘셉트이다.

일본의 불편한 진실을 세상에 정확히 알리려는 중국의 복선과 암시의 무서운

731부대 온수 배수구의 파괴된 모습

실체이다.

731부대가 세상에 알려지기 전에는 하얼빈시 평방구 중학교 건물로 사용되었다. 지금은 바로 옆에 새로 신축하여 학교를 이전했다.

731 실험 결과 미국의 묵인한 Q project 는 무엇일까? 미국도 악마의 동조자이다. 2차 세계 대전이 끝난 뒤, 미국은 731부대가 벌인 인체실험, 세균실험, 세균전, 독가스실험 등의 데이터를 손에 넣었다. 731부대원들의 전쟁 책임을 미국이 면제해 주는 조건으로 일본과 미국의 뒷거래가 이뤄졌다. 미국이 일본이 벌인 세균전 범죄사실과 전쟁 책임을 은폐함으로써 731부대의 모든 구성원은 극동국제

40) 양웬진, 제 731부대 죄증 도록, 흑룡강인민출판사, 2106년

가스 실험실

특별감방인 마루타 감옥으로 일본이 투항후
은폐하고자 폭탄을 터트린 모습

군사법정의 재판을 피했다.

인륜 범죄의 일본 731부대원들은 일본의 정부기관, 군사 분야, 의료기구, 학술 단체, 대학교 등 사회 각 영영에서 중요한 직책을 담당했다.[40] 잘 알려지지 않은 간략히 소개한다.

가스실험실 - 가스 저장실 - 동상 실험실 - 황쥐 배양실 - 시체 소각장 - 지하 비밀통로 - 마루타 이송 철도 - 항공반 등이 현존하고 있다. 황취 배양실 앞에는 일본 시민단체가 세운 일본 사죄비도 있다. 대부분의 관람객들이 시간 관계를 이유로 신관과 이시이 사무실과 급수대 정도에서 사진을 찍고 총총히 이동한다. 시간을 내어 꼭 봐야할 장소이다.

한국인 희생자들을 보자.

심득룡, 1911년생. 소련 공산당 첩보원. 1943년 10월 1일 다롄 흑석교(일본군

별장지대)에서 사진관으로 위장해 정보 수집 역할을 하자 체포 후 마루타로 희생시켰다. 심득룡의 신부와 함께 찍은 결혼식 사진이 남아있다. 가장 행복한 순간이 가장 비극적 장소에 남아있다.

마루타 심득룡과 부인 김아란

이기수(李基洙), 1913년생. 함남 신흥군 동흥면 출신. 1941년 9월 16일 이송. 연길 헌병대의 특별이송 신청으로 28살에 희생되었다. 현존 사진이 남아 진열되고 있다.

한성진(韓成鎭) 1913년생 함북 경성 출신. 1943년 6월 25일 체포. 훈춘 헌병대가 한성진을 특별이송 신청하였다.

김성서(金聖瑞), 함북 길주 출신. 1943년 7월 31일 체포. 관동군 헌병대에 특별이송 되었다.

고창률(高昌律), 1899년생. 소련 공산당 첩보원. 강원도 회양군 난곡면 출신. 1943년 7월 31일 관동군 헌병대에 특별이송 되었다. 현재 문서는 길림성 기록관리소에 소장 되었다.

被特别移送到七三

SCHEDULE OF SURVEY ABOUT PART OF SOVIE

序列	姓名	性别年龄	国家	被捕和特别移送时间、地点、经过
1	李基洙	男28岁	朝鲜	原籍在朝鲜咸镜北道新兴郡东兴面，1941年7月20日在间岛省珲春县春化村拉马沟被捕。
2	韩成镇	男30岁	朝鲜	原籍在朝鲜咸镜北道璟城，居住在间岛省珲春县春化村杜荒子屯第2牌，农民。1943年6月25日被捕。
3	金圣瑞	男	朝鲜	原籍在朝鲜咸镜北道吉州面，居住在间岛省珲春县敬安村马滴达屯第8牌，1943年7月31日被捕。
4	高昌律	男42岁	朝鲜	原籍在朝鲜江原道淮阳郡兰谷面，居住在间岛省珲春街大同区第9牌，从事饮食业。1941年7月25日被捕。
5	德姆琴科	男	苏联	1939年秋在诺门罕战场被日军俘虏，后押至哈尔滨香坊保护院集中营，刑讯拒不招供。后经哈尔滨特务机关批准，特别移送至七三一部队。
6	柯基姆洛夫	男22岁	苏联	1944年6月，根据86部队情报，哈尔滨宪兵队在哈尔滨马家沟逮捕无线电谍报工作者白俄柯基姆洛夫，后特别移送至七三一部队。
7	2人名不详	男	苏联	1940年6月，哈尔滨警察局司法科长按哈尔滨宪兵队的电话要求，命令大武雄警佐选择2名苏联人，由宪兵队乘车押送至七三一部队。
8	叶克塞也夫	男25岁	苏联	1941年6月，哈尔滨宪兵队出动汽车到哈尔滨警察局司法科拉10多个中国犯人送往七三一，其中包括因越境而被捕的苏联士兵叶克塞也夫等2名苏联人。
9	8人名不详（情报工作者）	男	苏联	1941年7月，哈尔滨警察厅司法科逮捕2名苏联人，外事科逮捕6名苏联人，据松本英雄证实，这8人都被特别移送至七三一部队。
10	[illegible]·巴斯洛	女52岁	苏联	原籍苏联扎巴伊卡尔，住在三江省抚远县海青村国富屯。
11	张慧忠（张文善）	男	中国	[illegible]
12	朱之盈	男	中国	同上

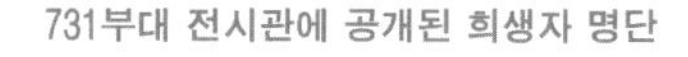
731부대 전시관에 공개된 희생자 명단

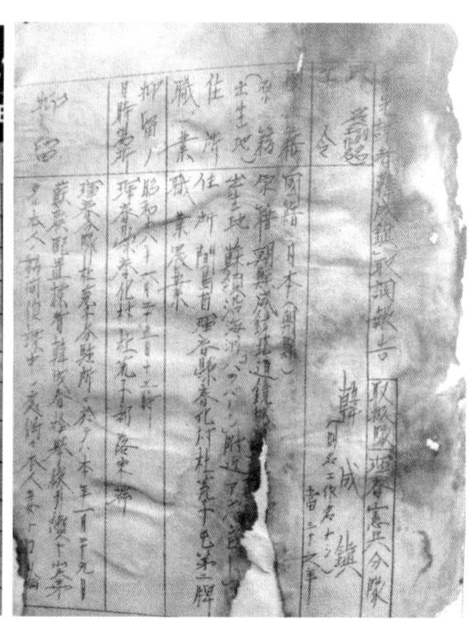

731 전시관내 특별이송 마루타 설명 내용,
조선인 한성진 자료

억울한 죽음을 당한 한국인 4명의 명단(이기수, 한성진, 김성서, 고창률)과 특별이송 문건이 남아 있다. 특별히 주목되는 것은 28살에 죽은 청년 이기수의 사진이다. 사진으로 남아서 후손들에게 채찍을 드신다. 대한제국의 주권 상실로 나라를 잃은 국민에게 이러한 잔혹한 역사가 가해진 것이다.

2005년 8월 2일 731부대 김성민 관장은 하얼빈 일보에 생체 실험 대상자 1,463명의 명단을 밝혔다. 길림성 당안관 헌병대의 불에 탄 마대자루에서 찾아 공개 했다.

특별이송이란 일본군 헌병대가 체포한 독립운동가, 공산군 포로, 외국 첩보원을 생체 실험 자료인 마루타로 지정해 731부대로의 압송을 말한다. 731부대 인

조선인 이기수 사진

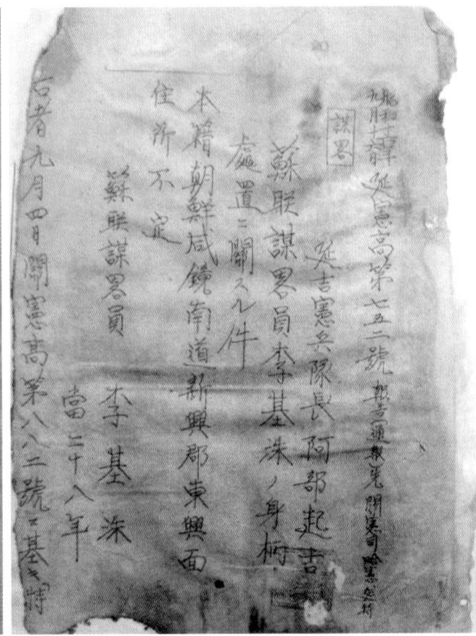

延憲高第七五二號
謀略 延吉憲兵隊長 阿部起吉
蘇聯謀略員李基洙ノ身柄
處置ニ關スル件
本籍 朝鮮咸鏡南道新興郡東興面
住所不定
蘇聯謀略員 李基洙
當二十八年
右者九月四日關憲高第八八二號ニ基キ特

731부대특별이송(마루타)조선인 이기수 자료

체 실험 피해자는 주로 중국인, 소련인, 한국인 등이 었다. 신분은 중국 공산당 지하 당원, 항일연군 전사, 농민, 소상인, 일반인 등 다양하였다. 731부대는 이 '인체 실험재료를 감금하기 위해 전용 '특설감옥' 두 동을 세웠는데 동시에 400 여 명을 수용할 수 있었다. 731부대 제1부 부장 가와시마 기요시는 하바롭스크 재단에서 말했다. "1940년부터 1945년까지 최소한 3,000명이 인체 실험재료로 쓰였다."

앞서 제시한 자료들은 731부대에 희생된 조선인 관련 자료 중 일부이다. 그중 2020년 지금까지 밝혀진 조선인 희생자는 6명이다. 특별이송의 자료에 근거하면 더욱 많은 추가 조선 희생자가 있다. 한국학계에서는 731부대 연구에 미온적

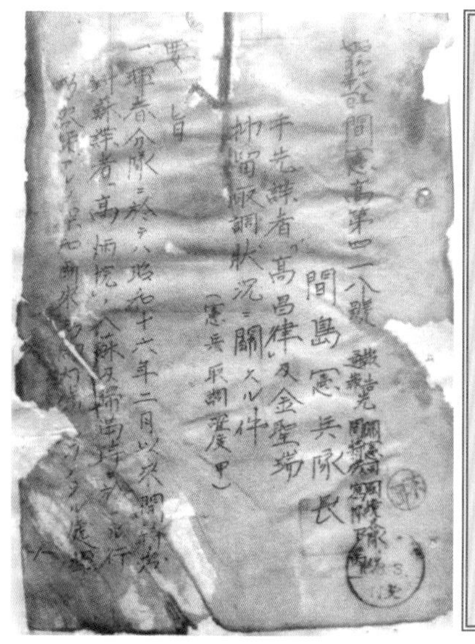

한국인 자료 중 일부

시기 :1939년 6월
명령자: 하얼빈시 신시가 헌병대분대장 소좌
아카기 모리미
내용: 하얼빈 교외에서 중국 공산당 아청현 위원회 소속 중국과 한국인 공작자 25명 이상이 회합하고 있음을 정찰해 전원 체포했음.
결과: 비행장에서 이시이 부대가 독약을 주사해 사망

731부대특별이송(마루타)조선인 고창률과 김성서 자료

태도이다. 한국인 희생자가 많지 않다는 것이다. 현장은 여전히 한국 학계의 관심을 증거로써 요구하고 있다.

희생자 대부분 일본의 제국주의가 전쟁을 확전하던 1941년 태태평양 전쟁 전후에 희생되었다. 일본 전쟁 망동의 희생자들인 것이다. 역사는 기록되어야 하고 기억되어야 재발을 막을 수 있다.

“단 한 명의 억울한 731의 희생자가 있다면 세계 의료 발전 진보는 필요 없는 것이다.”

731부대는 인도주의 정신에 어긋나며 생명윤리와 의학 준칙에 위배되는 것으로서 인류 문명사에 암흑과 추악함, 야만과 폭력으로 얼룩진 한 페이지를 남겼다.

- 제4장 -

안중근의 유언

- 평화주의자 안중근 유해 발굴의 당위성
- 안중근 의사 유해는 관동도독부 감옥서 묘지에 묻혔다
- 안중근 유해 위치 확인 및 발굴 방안
  - 사료 및 자료 방면
- 철도, 안중근 의사 평화의 길
  - 안중근 의거 철도에서 평화를 위해 쏘다
  - 남북철도, 평화를 위하여 달린다

하얼빈 지역과는 무관하지만 안중근 의사께서는 조국이 해방될 때까지 하얼빈 공원에 묻혔다가 조국으로 돌아가기를 원하셨다.

만약 안중근 의사가 하얼빈 공원에 묻혔다면 하얼빈은 대한 독립운동의 성지가 되었을 것이다. 현재 안중근 의사의 유해가 고국으로 반장되지 못하고 있는데, 정확한 유해 위치도 아직 밝혀지지 않고 있다. 안중근 의사의 유해는 반드시 찾아야 한다. 이 지면을 통해 필자는 안중근 의사의 유해에 대한 현황과 유해 찾기 당위성을 강조하고자 한다.

평화주의자 안중근 유해 발굴의 당위성

2020년은 뤼순 감옥 해체 75주년이다. 또한 안중근 의사 탄신 141년, 하얼빈 의거 111주년, 안중근 의사 순국 110주년이다.

안중근 의사가 순국한 다롄(大連) 뤼순일아 감옥구지 박물관(旅順日俄監獄舊址博物館, 이하 뤼순 감옥)은 한국 방문객의 발길이 꾸준하다. 그 수가 일 년에 4만 명에 이른다.

주로 7월과 8월에 한국 역사 탐방 단체가 뤼순 감옥을 출발하여 동북지역으로 이동한다. 또한 하얼빈에서부터 오는 탐방객이 최종적으로 꼭 들리는 코스가 뤼순 감옥이다. 뤼순 감옥 사무실 창가에서 내다보면 옷차림부터 한국인을 금방 알 수 있다.

모두의 마음속에 동일한 한 가지 생각이 있을 것이다. 안중근 의사가 1909년 11월 3일부터 1910년 3월 26일까지 144일간 계시다가 순국하신 곳, 이곳을 찾는 분들은 뤼순 감옥 안중근 의사 수감방과 사형장을 보고 그 의미를 생각하면서 안중근 의사의 동양평화 사상과 애국애족에 대한 사상을 흠모하고 반추하는 것이다.

중국의 저명한 교육자이자, 집단 지성의 최고로 꼽히는 북경 대학교 총장을 지낸 채원배(蔡元培, 1868-1940)는 안중근 의사를 다음과 같이 평하고 있다.

"아! 열사가 나라를 위해 죽으니 호연정기가 흥기하누나. 당년에 북쪽으로 가서 손가락을 잘라 굳게 맹세하고 큰 뜻에 비장한 노래를 불렀다.

한번 가서 다시 돌아오지 않는 역수의 결의를 다지고 일격에 수치를 씻고 몸은 오히려 죽게 되었다. 통분한 것은 정권을 잡은 그들 모두가 간사함에 의뢰하여 정치교육을 잃고 국가 법도를 망치었다.

이해관계에서 처음에는 약간의 차이였지만 나중에는 대단한 차이가 생기었다. 혹은 스스로 죽거나 권력을 다투면서 서로 당기었다. 물건이 썩으면 개미가 와서 훔치는 것과 같았다. 침묵 속에 많이 잠겨있는 우리가 애달파 상심으로 이가 갈린다. 아아, 열사여"

한국 근대사는 일제의 침략에 저항했던 수많은 인물들을 기록하고 있다. 한국의 애국자는 수없이 많다. 그러나 안중근 의사를 이해하는 주요한 코드는 애국보다 더 중요한 인류의 보편적 가치인 평화를 주장하고 실천한 사상가라는 것이다. 수많은 인물 중에서 한국의 대표적 사상가이자 평화주의자인 안중근 의사를 주저 없이 첫 번째로 꼽는다.

안중근은 대한민국이 낳은 자랑스러운 인물이다. 안중근 의사는 독립운동가, 교육자, 의병, 신앙인으로 잘 알려졌다. 안중근 의사는 순국 후 작성된 전기물에서 다양한 형태의 호칭으로 불렸다. '만고 의사', '대동 위인', '한의 병장' 등이다. 이것으로 안중근 의사에 대해 다양한 형태의 인물로 평가하고 있다는 것을 알 수 있다.

1910년 3월 10일, 안중근 의사는 동생 안정근(安定根, 1885-1949)과 안공근(安恭根, 1889-(1940))에게 유언을 남겼다.

"내가 죽은 뒤에 나의 뼈를 하얼빈 공원 곁에 묻어 두었다가 우리 국권이 회복되거든 고국으로 반장해 다오. 나는 천국에 가서도 또한 마땅히 우리나라의 회복을 위해 힘쓸 것이다. 너희들은 돌아가서 동포들에게 각각 모두 나라

의 책임을 지고 국민 된 의무를 다하며 마음을 같이하고 힘을 합하여 공로를 세우고 업을 이르도록 일러다오. 대한독립의 소리가 천국에 들려오면 나는 마땅히 춤추며 만세를 부를 것이다."

안중근 의사의 유언은 조국 대한제국의 국권 회복에 대한 바람과 국민에 대한 의무를 당부하는 보편적 가치 실현이 응축된 처절한 절규였던 것이었다. 자신의 목숨을 초개와 같이 버리고 국가를 위하여 헌신하는 모습이 눈에 선하다.

그러나, 안중근 의사의 유해는 순국 즉시 가족에게 인도되지 않고 비밀리 매장되었다. 유해는 순국 즉시 일제에 의해 압수되어 감옥법까지 어겨가며 동생들에게 조차 유해를 인도하지 않고 극비리에 매장하고 통치 자료로만 이용되었다. 안중근 의사가 순국한 지 올해로(2020년) 110년이 되었다.

안중근 의사의 영혼은 아직도 뤼순에서 찬비를 맞으시며 을씨년스런 이역 하늘을 헤매고 있다. 그동안 광복 이후 안중근 의사의 유언에 따라 꾸준히 노력하였으나 모두 허사였다. 한국에서는 효창원에 허묘를 만들어 놓고 안중근 의사 유해가 반장 되기를 고대하고 있다.

중국 뤼순은 경진문호이며, 반부 근대사(半部近代史)이며 노천 박물관이라고 한다. 중국 근대사는 1840년 아편전쟁부터 1949년 신중국 성립 시기를 의미

한다.

그러나 중국 뤼순은 청일전쟁(1894-1895, 2년), 러시아조차지(1898-1904, 7년), 러일전쟁(1904-1905, 2년), 일제 식민지(1905-1945, 40년), 총 51년 동안 중국 근대사의 주요 분쟁지역이자 19세기 2대 전쟁(청일, 러일)의 주요 무대였다. 그리하여 뤼순을 일러 반부근대사의 현장이라 칭한다. 안중근 의사는 이 뤼순에 '뤼순 동양평화협의체 건립'을 주창하셨다. 동양의 중심지인 뤼순을 영세중립지대로 정하고, 상설위원회를 만들어 분쟁을 미연에 방지한다. 한·중·일 3개국이 일정한 재정을 출자하여 공동은행을 설립하고, 공동화폐를 발행하여 어려운 나라를 서로 돕는다는 것이 주요 골자인 것이다.

'평화', 아마도 평화라는 단어는 인류역사상 가장 많이 회자된 용어일 것이다. 특히 현재는 이데올로기 갈등으로 한 치 앞을 내다볼 수 없었던 냉전의 시기보다 더 '평화'를 외치는 소리가 높다. 오늘날 세계는 어느 곳이라 할 것도 없이 영토, 인종, 종교 등 다양한 이데올로기에 따라 분쟁과 갈등과 폭력이 그치질 않고 있기 때문이다. 동양평화를 염원하시다가 살신성인하신 안중근 의사, 평화주의자 안중근 의사 유언의 실현은 어찌할 것인가? 안중근 의사의 영혼은 110년 동안을 조국으로 돌아오지 못한 채 여전히 구천을 헤매고 있다.

현재 안중근 의사의 매장 위치도 특정하지 못하고 있다. 그리하여, 이 책에서는 안중근 의사 유해 발굴이라는 말보다는 안중근 의사 유해 위치 확인이라는 말을 먼저 한다. 유해 위치가 특정이 되어야 발굴이 되기 때문이다.

안중근 의사 유해는 관동도독부(關東都督府) 감옥서(監獄署)묘지에 묻혔다[41)]

평화주의자 안중근은 세계에 내놓을 만한 대표적 평화 브랜드이다. 그러나 국권이 회복된 지 75주년이 지난 지금도 안중근 의사의 유해 발굴은 요원하다. 1986년의 북한의 단독 안중근 의사 탐방 조사, 2006년 남북한 안중근 의사 유해 위치 확인 및 확정, 2008년 4월 한중 안중근 의사 유해 발굴, 2008년 5월 중국 뤼순감옥 단독 안중근 의사 유해 발굴이 전부이다. 이는 정확한 안중근 의사의 매장지를 알지 못한 것이기 때문에 실패했다. 그러나 최근에는 1910년 당시 안중근 의사의 매장지를 추정할 수 있는 사료들이 속속들이 발굴되었다.

첫째, "안중근 뤼순 매장".

일본은 안중근 의사 사형 직전 이미 안중근 의사 매장을 뤼순으로 지정하여

41) 본 내용은 영웅 창간호(2015.11)에 내용이 실려 있고, 내용이 유사함을 밝혀 둔다. 이 내역을 대중지에 게재하는 이유는 더 많은 한국인과 중국인들이 안중근 의사 유해 위치에 대한 현황을 알리기 위한 목적이 있음을 밝혀 둔다.

보고했다. 1910년 3월 22일 오전 11시 30분에 관동도독부 민정장관이 조선통감부 앞으로 "안 사형 집행에 관한 건"이라는 문건에 이미 안중근 의사의 사형 집행일 변경 이유와 관동도독부에 신청하여 이미 3월 26일에 사형하고 뤼순에 매장한다는 전보 114호가 있다.

"安의 사형은 오는 25일 집행할 예정이라는 취지의 전보에 접했는바, 당일은 한국 황제의 탄생일에 해당되어 한국 인심에 惡感이 주어질 우려가 있어 都督府에 신청한 결과, 同府로부터 3월 26일에 사형을 집행하되 유해는 旅順에 매장할 예정이라는 뜻의 답전이 있었음."

둘째, "안중근 금일 사형집행, 뤼순 매장".

관동도독부 사형 집행 보고서에서 안중근 의사의 매장지역을 뤼순으로 적고 있으니 확신할 수 있다. 2010년 3월 22일 국가 보훈처에서는 일본 외교사료관에 소장되어 있던 관동도독부의 사형집행 보고서(1910.3.26.) 원형 영인 2매를 발견하여 공개했다. 보고자는 관동도독부 민정장관 대리사또 토모구마(佐藤)이고, 수보자는 2명으로 고무라 쥬타로(小村壽太郞) 외무대신과 이시이 기쿠지로(石井菊次郞) 외무차관이었다. 보고 내용은 두 건이었다. 한 건에는 "본일 사형집행” 또 다른 한 건에는 “안중근 금일 사형집행, 뤼순 매장”이라는 내용이었다. 확실한 안중근 의사의 매장지는 뤼순(旅顺)인 것이다.

셋째, “도독부 묘지매장 내정”, “오후 1시 감옥서 묘지 매장”.

당시 관동도독부 통역 촉탁(通譯囑託) 소노키스에키(園木末嘉)가 보고한 「安重根 死刑 집행 상황」이다. 안중근 의사 유해에 대하여, 이미 관동도독부의 집행 명령이 1910년 3월 22일 도착했고, 3월 25일에 집행할 예정이었다. 그러나 순종의 생일인 25일 건원절을 고려하여 26일 집행했다. 여기에서 이미 안중근 의사의 유해는 유족에게 인도하지 않고 감옥서 묘지에 매장할 것으로 이미 내정했다고 보고하고 있다.

출처: 국가 보훈처

관동도독부에서 본국 외무차관에게 보낸 사형집행 보고서(1910.3.26.)(원형 영인)
· 보고자 : 관동도독부 민정장관 대리 사토 토모구마(佐藤友態)
· 수보자 : 외무차관 이시이 기쿠지로(石井菊次) 안중근 본일 사형집행 유해 뤼순에 매장”

“오늘 當 高等法院 검찰관이 사형집행 명령을 都督에게 稟申한 사정은 우

선 전보로 보고한 대로이며, 위에 대한 都督의 명령서는 이달 22일에 도착해 동 25일에 집행할 것이고, 또 형벌을 받은 후 安의 신병은 監獄法 제74조에 의해 공안 상, 이를 유족에게 하부하지 않음을 인정하고 當 監獄署는 묘지에 매장할 것으로 모두 내정했으므로 위에서 말한 것을 참고 삼아 보고합니다."

> 살인 피고인 안중근에 대한 사형은 26일 오전 10시 감옥서 내 형장에서 집행되었습니다. 그 요령은 아래와 같습니다.
>
> **오전 10시에 溝淵 檢察官(뤼순 감찰관), 栗原 典獄(구리하라 전옥)과 小官 등이 형장 검시실에 착석과 동시에 安을 끌어내어 사형 집행의 취지를 고지하고 유언의 유무를 물었는데, 安은 달리 유언해야 할 그 무엇도 가지고 있지 않지만 원래 자신의 흉행이야말로 오로지 동양의 평화를 도모하고자 하는 성의에서 나온 일이므로, 바라건대 오늘 참석하는 일본 관헌 각위도 행여 나의 미충(微衷)을 양지하시어 彼我(피아)의 구별 없이 합심 협력해 동양의 평화를 기도하기를 간절히 바랄 뿐이라고 말하고, 또 지금 '동양평화 만세'를 삼창하고 싶으니 특별히 허락해달라고 주장했으나 典獄(전옥)은 그 일만은 해서는 안 된다는 뜻을 타이르고 간수로 하여금 즉시 백지와 백색 천으로 눈을 가리게 하고 특별히 기도는 허가해 주었으므로 安은 약 2분 남짓의 默禱(묵도)를 올리고, 이윽고 두 사람의 간수에게 억지로 끌려가면서 계단으로부터 교수대에 올라 조용하게 형의 집행을 받은 시간이 10시를 지나고 정확히 4분에서 15분에 이르자 監獄醫(감옥서)는 외상을 검시해 절명한 취지를 보고하기에 이르렀으므로 이에 드디어 집행을 끝내고 일동은 퇴장했습니다. 10시 20분 安의 시체는 특별히 監獄醫(감옥서)에서 만든 寢棺(침관)에 이를 거두고 흰색 천을 덮어서 교회당으로 운구되었는데, 이윽고 그 공범자인 禹德順·曺道先·劉東夏(우덕순· 조도순· 유동하) 3명을 끌어내어 특별히 예배를 하게 하고 오후 1시에 監獄醫(감옥서)의 묘지에 이를 매장했습니다. (후략)** 通譯囑託 統監府 通譯生 園木末嘉印

또한 「별지 安重根 死刑 집행 상황」에 보면 더욱 자세하게 순국의 상황과 순국 후 안중근 의사 유해에 대한 정확한 매장 시간과 매장 지역이 명기 되어있다.

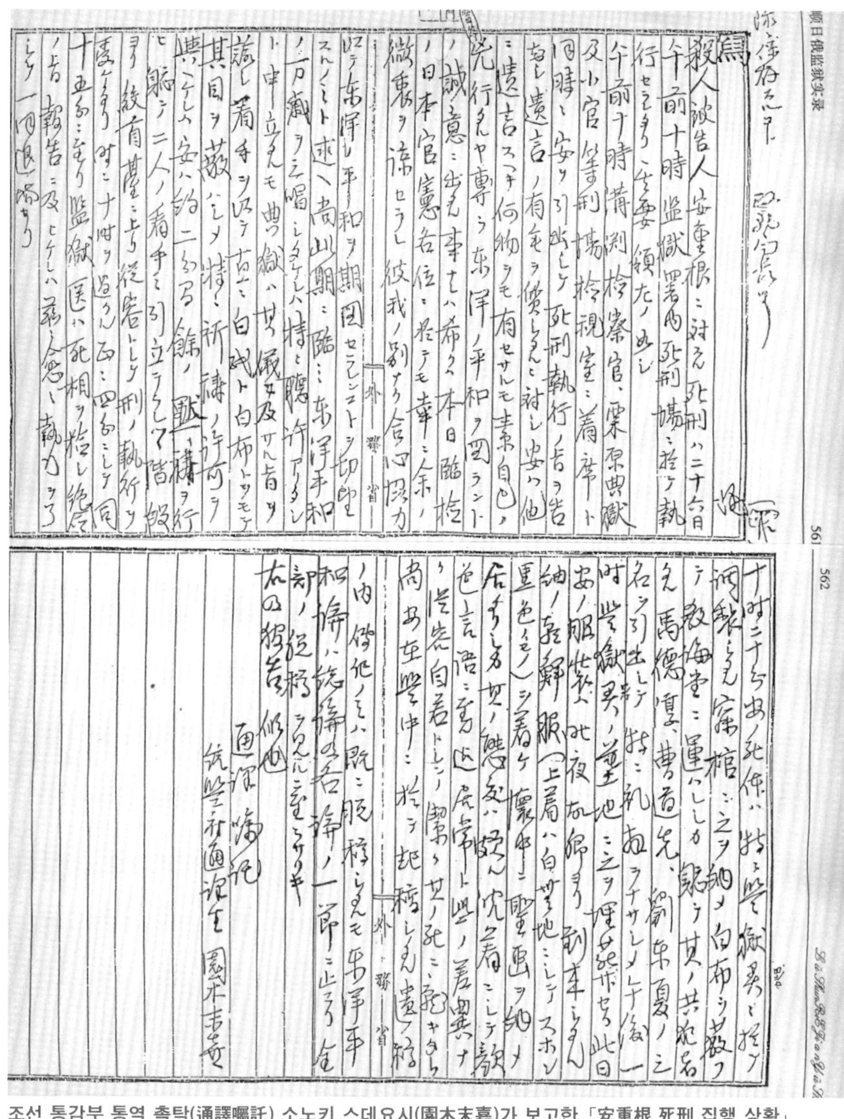

조선 통감부 통역 촉탁(通譯囑託) 소노키 스데요시(園木末嘉)가 보고한 「安重根 死刑 집행 상황」

넷째, "안중근의 시체는 감옥묘지에 특별히 침관에 넣어 매장".

최근에 안중근 의사 매장지를 다른 곳이라고 주장하는 학자들이 있기에 안

16. 1910년 3월 27일 2면

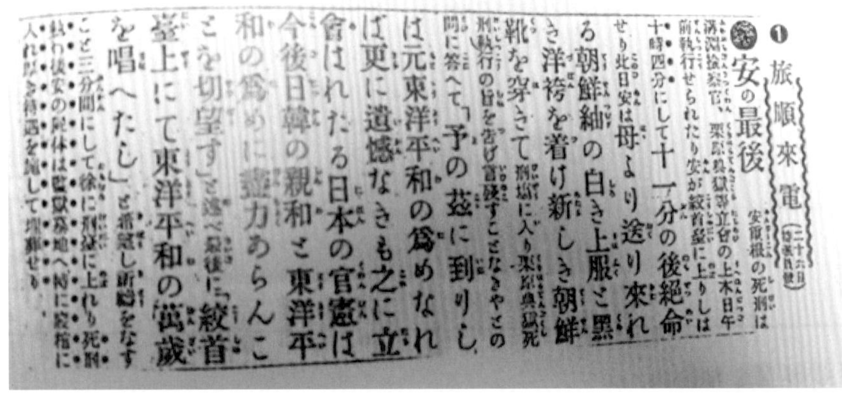
① 旅順來電（二十六日 [illegible]）

安の最後

安重根の死刑は滿洲檢察官、栗原典獄等立會の上本日午前執行せられたり安が絞首臺に上りしは十時四分にして十一分の後絶命せり此日安は母より送り來れる朝鮮紬の白き上服と黑き洋袴を着け新しき朝鮮靴を穿きて刑場に入り栗原典獄死刑執行の旨を告げ言殘すことなきやとの問に答へて「予の茲に到りしは元東洋平和の爲めなれば更に遺憾なきも之に立會はれたる日本の官憲は今後日韓の親和と東洋平和の爲めに盡力あらんことを切望す」と述べ最後に「絞首臺上にて東洋平和の萬歲を唱へたし」と希望し祈禱をなすこと三分間にして徐に刑臺に上れり死刑執行後安の屍体は監獄墓地へ特に寢棺に入れ[illegible]を施して埋葬せり

"안중근의 시체는 감옥묘지에 특별히 침관에 넣어 매장" (『오사카 마이니치 신문』, 1910. 3. 27.)

중근 의사 매장지를 관동도독부 감옥서 공공묘지임을 확실히 하기 위하여 당시 일본의 신문 기사 15건을 밝힌다.

26일 발 뤼순전보를 인용한 1910년 3월 27일자 『오사카 마이니치 신문(大阪每日新聞)』에는 "유해는 오후 1시 공동묘지에 매장"이란 기사와 "안중근의 시체는 감옥묘지에 특별히 침관에 넣어 매장", 1910년 3월 27일자 『모지신보(門司新報)』에는 "유골은 감옥 전 공동묘지에 매장"(26일 발 뤼순전보 인용)이란 기사와 "안중근의 시체는 감옥묘지에 특히 관에 넣는 특별 대우를 받고 매장"(26일 발 다롄전보 인용)이란 기사가 실렸다. 1910년 3월 28일 자 『도쿄일일신문(東京日日新聞)』에는 "유해는 뤼순감옥묘지에 매장"(다롄전보 인용)이란 기사가 실렸다. 26일 발 뤼순지국을 인용한 1910년 3월 29일 자 『만주신보(滿州新報)』

황현(1855~1910)의 『매천야록(梅泉野錄)』의 6권 강희(隆熙) 4년

安重根 家人欲依重根遺言, 歸葬哈爾濱, 倭人不許, 使葬于旅順監獄內葬地, 盖重根臨死, 託以國權未復之前, 勿返故山, 可殯于哈爾濱, 以志遺慟云, 京師人買重根畵像, 旬日得千金, 倭人 禁之, 重根遺詩二句曰, 丈夫雖死心如鐵, 義士 臨危氣似雲。

에는 "사체는 오후에 감옥공동묘지에 매장"이란 기사와 "안중근의 사체를 오후 감옥 공동묘지에 묻었다."는 기사가 실렸다. 1910년 3월 27일 자 『만주일일신문(滿州日日新聞)』에서는 "안중근 사체는 오후 1시 감옥 공동묘지에 묻었다"라고 보도했다.

또한 필자가 2018년과 2019년 2년에 걸쳐, 일본의 국회 도서관에서 안중근 의사 매장 관련 기사를 찾았다. 총 15건이 매장지와 매장 장소를 관동도독부 감옥서 묘지로 특정하고 있다.

다섯째, "여순감옥 공동장지에 매장".

대한제국의 『신한국보』 기사다. 1910년 4월 19일(大韓隆凞四年 四月 十九日 火曜日) 자 『신한국보』에서 '안 씨 장지'라는 기사 제목으로 "안 씨의 유체는 고국으로 귀장함을 불허하는 고로 여순감옥 공동장지에 매장하였다더라."라고

보도했다.

여섯째, "旅順監獄內葬地(뤼순감옥 내 장지)".

황현(黃玹, 1895-1910)의 『매천야록(梅泉野錄』(1894년(갑오년)부터 1910년(경술년)까지의 역사를 일자별로 기록한 역사서)에서 안중근 의사의 매장지를 알 수 있다. 안중근 의사가 순국하던 1910년 9월 10일에는 대한제국 시기의 대표적 선비 황현이 나라 잃은 슬픔을 곱씹으며, 절명시를 남기고 자결했다. 황현의 『매천야록(梅泉野錄)』의 6권 강희(隆熙) 4년 편을 보면, 안중근 의거에 대하여 다음과 같이 기록하고 있다.

"안중근의 가인(家人)이 중근의 유언에 의하여 하얼빈에서 귀장(歸葬)시키려 하였으나 왜인이 불허하여 뤼순감옥 내 장지에 장사하였다. 중근이 죽음에 이르러 국권이 회복되기 전에는 고국으로 옮겨 장사하지 말라 부탁하였으므로 뤼순 내 감옥묘지에 묻었는데, 남긴 뜻으로 서럽게 울었다고 한다. 서울 사람이 중근의 화상(畵像)을 매입해서 (열흘에) 천금을 얻었으나 왜인이 그것을 금하였다. 중근의 유시 두 구절에서 말하길, '장부는 비록 죽을지라도 마음은 철과 같고, 의사는 위태함에 이르러도 기운은 구름과 같다.'고 하였다."

황현은 안중근 의사 유언과 유해 매장에 대하여 명백히 밝히고 있다. 안중근 의사의 매장은 뤼순감옥 내 장지(葬地)라는 것이다. 안중근 의사 유해 관련 매장지가 정확히 소개되고 있다.

상기 전술한 "안중근 뤼순 매장", "안중근 금일 사형집행, 뤼순 매장" "監獄署 묘지 매장 내정", "오후 1시 감옥서 묘지 매장", "안중근의 시체는 감옥묘지에 특별히 침관에 넣어 매장", "여순감옥 공동장지에 매장", "旅順監獄內葬地"의 공통점은 '안중근 의사 감옥서 묘지 오후 1시 매장'이 공통어라는 것이다. 즉, 결론적으로 안중근 의사의 매장지는 '뤼순', 그리고 '관동도독부 감옥서 묘지'라는 것은 확실하다.

이에 더 이상 안중근 의사의 유해는 뤼순과 관동도독부 감옥서 묘지가 아닌 다른 곳에 묻혔다는 주장이 없기를 바란다. 현재 안중근 의사의 유해가 어디에 묻히셨는지 사료적으로 입증할 순 없지만 확실한 것은 1910년 3월 26일 오후 1시에 관동도독부 감옥서 묘지에 묻히신 것은 자명하다. 그러면 관동 도독부 감옥서는 어디인가?

관동도독부 감옥서는 지금의 뤼순일아감옥구지 박물관(이하 뤼순감옥)을 의미한다. 뤼순감옥은 1902년의 러시아 건립과 1905년의 러일전쟁 후 1907년 11월 일본에 의해 '관동도독부 감옥서'라는 명칭으로 운영되었다. 1920년에는 관동청 감옥'으로, 1934년에는 '관동형무소'로, 1939년에는 '뤼순형무소로' 개명하여 운영되다 1945년 8월 22일 소련군에 의해 해체되었다. 안중근 의사가 수감되고 순국되셨던 1909년 11월 3일부터 1910년 3월 26일까지의 시기에는 '관동도독부 감옥서'라는 명칭을 사용하였다.

애석하게도 관동도독부 감옥서 공동묘지 위치를 사료적으로 입증할 만한 것은 현재 아무것도 없다. 1945년 8월 15일 일제가 패전을 선언하던 날, 뤼순 감옥 마지막 소장인 타고지로가 3일 동안 뤼순감옥의 모든 자료를 소각해 버렸기 때문이다.

당시 안중근 의사의 유해 매장지인 관동도독부 감옥서가 현재 뤼순감옥 공공묘지(2001년 뤼순감옥구지 묘지라고 지정, 동산퍼라 불림)와 일치한다는 공식적인 기록과 사료는 없다. 그리하여 다른 묘지일 수 있다. 안중근 의사 유해 발굴에 대해, 정부는 2008년 이후로 유지해 오던 '선 사료, 후 발굴'이라는 형태의 입장에서 현재는 '사료발굴과 뤼순감옥 공공묘지에 대한 기초조사'라는 형태로 입장을 전환했다.

안중근 의사가 유해를 "국권이 회복되면 고국으로 반장해다오."라 유언하시고 순국하신 지 110년, 그리고 국권이 회복된 지 광복 75주년이 지났다. 안중근 의사의 유해는 백골이 진토 되어 가고 있는데 아직도 우리는 발굴 방법만을 모색하고 있다.

그러면 안중근 의사의 유해를 발굴을 위한 현재의 방안은 무엇인가?

안중근 유해 위치 확인 및 발굴 방안

사료 및 자료 방면

우선, 안중근 의사 유해 매장에 관련 일본 측 자료를 확보하는 것이 중요하다. 외교 경로를 통해 한국은 일본에 안중근 의사 유해 발굴에 대한 협조를요청한 바, 일본 정부의 답변은 다음과 같다. 2010년 5월 16일 경주에서의 한·중·일 외교 장관 회의에서 오카다 일본 외무대신은 "현시점에서 관련 자료는 발견되지 않았으나, 계속해서 조사해 나가겠다."라고 답변했다.

그간 한국에서는 수 차례에 걸쳐 일본외무성 외교사료관, 국립공문서관, 국립국회도서관, 일본 현지 고서점, 지도 전문서점 등을 방문하여 안중근 의사 관련 자료를 수집하였지만 현재까지 안중근 의사에 대한 자세한 기록은 발견하지 못했다.

- 안중근 의사 사망장을 찾아야 한다.

일본의 감옥법 제75조에는 반드시 사형자의 이름을 같이 관에 넣어 매장하게끔 되어 있고, 사망장에 대한 기록을 법률로 명시하고 있다. 또한 사망자의 친척이나 친구가 사망자의 시신을 인수하기 요청하면 반환해야 한다고 명시되어 있다. 단, 요청자가 사망책에 인정해야 한다. 간수가 시신을 매장할 때 관으로 매장하고 관의 위에 한 폭 3인치 이하, 길이 3척 5촌 이하의 이름표를 붙여야 한다. 일본의 감옥사 책에서도 다른 사람들의 사망장을 밝히고 있다. 안중근 의사 사망장을 찾아야 한다.

- 기존 한국에서의 개인에 의존하는 안중근 의사 유해발굴 관련 일본 측 자료 수집 방식에는 한계가 있다.

일본의 역사적 화해라는 차원으로 일본인에 의해서 안중근 의사 유해 관련 자료를 찾게 하는 것이 타당하며, 빠를 것이다.

- 관동도독부 지방 법원의 안중근 원본을 찾아야 한다.

한국 학자 한상권·김현영의 논문「안중근 공판기록 관련 자료에 대하여」(2009)에 따르면, 안중근 의사 재판을 주관한 뤼순의 관동도독부 지방법원의 원본이 현재 그 소재를 확인할 수가 없다고 한다.

다행히 1939년에 조선사 편수회 사료 조사 과정에 수집되어 대강의 내용만 확인할 수가 있다는 것이다. 이태진(2012, 역사의 창)에 의하면 당시 조선 통감부에 안중근 관계 자료는 172건이었다. 조선사 편수회 직원으로 뤼순에 방문한 다카와 고죠의 복명서에 의하면, 복사 요청에 따라 보내 뤼순 감옥에서 보내온 것은 55건이다. 118건이 보내오지 않은 것이다. 이 118건의 행방을 찾아야 한다.

- 안중근 의사 유해 유치 확인을 위한 조사 발굴을 위해 한·중·일 학계 전

문가와 관계 기관, 그리고 관련 단체의 주요 인사가 함께 모여 그동안의 조사 경과를 심층 검토하고 현재 제기되는 현안과 강구할 수 있는 최선의 대안을 논의하는 한편, 향후 추진 계획을 궁리하여야 한다.

"마땅히 천국에 가서도 국권을 회복하기 위해 힘쓰겠다."라고 말한 안중근 의사의 유언이 머릿속에 맴도는 것은 75년 전 광복의 그날에도, 그리고 75년이 지난 지금도 안중근 의사가 만세를 부를 것이라는 확신이다.

유언으로 남기셨던 그리운 고국 땅을 밟지 못한 안중근 의사이기에 효창원의 가묘가 처연하게 느껴지고, 그리움이 커진다.

중국 시진핑(習近平) 주석은 2015년 '중국인민항잔승리70주년' 기념식에서 다음과 같이 발언하였다. "영웅이 없는 민족에게는 희망이 없다. 전도가 있는 국가에는 선봉이 없을 수 없다. 영웅은 한 민족의 정신적 지주이다. 영웅은 한 국가와 민족을 이끄는 사회 가치의 방향이다. 영웅은 왕왕 한 시대를 반영하고 대표한다."

中国国家主席习近平在2015年颁发 '中国人民抗日战争胜利70周年' 纪念章仪式上更加明确地指出, "一个有希望的民族不能没有英雄, 一个有前途的国家不能没有先锋。英雄是一个民族的精神脊梁, 是代表了一个国家和民族所倡导的社会价值的取向。英雄往往代表和反映着一个时代。"

시진핑 주석은 위와 같이 현재의 시대정신에 부합하는 영웅의 필요성을 말하고 있다.

올해는 안중근 의사 순국 110주년이었다. 코로나 19로 선양 사업마저도 제대로 이루어지지 못했다. 때만 되면 안중근 의사에 대한 관심보다는 항구적이고 지속적인 관심이 요구된다. 대한민국의 국격을 높인 안중근 의사다. 이는 한두 사람과 정부 담당자의 역할로 이루어질 일이 아니다. 대한민국 국민 모두가 나서야 할 때이다. 지금 나서지 않는다면 안중근 의사 순국 200주년이 되어서 후손이 지금의 우리에게 당시 무엇을 하였는가 묻는다면 뭐라고 말할 것인가. 남북이 참여하고 중국과 일본이 참여하는 안중근 의사 유해 발굴 상설위원회가 조속히 가동되길 바란다. 그리한다면 필자는 그동안 발굴 조사된 사료들을 중심으로 우선 당장 안중근 의사 유해 발굴 관련 백서를 만들 것이다.

철도, 안중근 의사 평화의 길

하얼빈 의거 철도에서 평화를 위해 쏘다

“우리 국권이 회복되면 고국으로 반장해 다오. 나는 천국에 가서도 또한 마땅히 우리나라의 회복을 위해 힘쓸 것이다.… 대한독립의 소리가 천국에 들려오면 나는 마땅히 춤추며 만세를 부를 것이다"라고 안중근 의사(1879-1910)는 유언을 남겼다. 올해는 안중근 의사가 염원하셨던 국권이 회복된, 대한독립을 맞은 광복 75주년이다. 그러나 광복 75주년인 오늘 안중근 의사의 만세 소리가 들리지 않고 있다.

대한독립의 상징이요, 동양평화를 위하여 순국하신 안중근 의사는 평화가 정착된 대한독립의 광복을 염원하셨을 것이다.

111년 전, 1909년 10월 26일 일본 제국주의 상징적 인물인 이토 히로부미(1841~1909)가 하얼빈역 1번 플랫폼에서 정의의 총에 주살되었다. '동양평화와 조선의 독립을 위한다.'라는 러일전쟁(1904-1905)의 선전조칙(宣戰詔勅)에 보듯이, 일본은 동아시아로의 제국주의 확장 정책을 추진했다. 러일전쟁에 이긴 일본은 제국주의적 본색을 드러냈다.

1905년 을사늑약(乙巳勒約) 강제 체결, 1907년 정미7조약(丁未七條約)을 통한 고종(高宗, 1852-1919, 재위 1897-1907) 강제 퇴위, 군대 해산 등 일본이 말한 동양평화는 허구임이 자명해졌다. 대한제국의 국민들은 허구뿐인 일본의 동양평화를 의병투쟁으로 저항하였다. 러일전쟁으로 재정이 궁핍한 러시아는 재정 대신 코코프체프(Kok ovsev, V.N,)를 극동에 파견하여 1909년 동청철도(東淸鐵道) 하얼빈과 블라디보스토크 구간 매각을 하고자 했다. 당초 이 계약은 미국 철도왕 해리먼(William Averell Harriman, 1848-1909)과 체결할 예정이었으나, 해리먼이 9월에 사망한다. 이에 새로운 매각처로 일본의 이토 히로부미가 협상 당사자를 자처하게 된다. 코코프체프는 이토 히로부미와 20여 분간 회담을 했다. 철도와 기반시설 등 북만주에 대한 전반적인 관리권 협상이었다. 실제 계약이 체결되었다면 일본은 철도 관리권을 획득하여 북만주 교두보를 확보하고 제국주의적 침략의 발판으로 삼으려고 했다. 그러나 러시아는 철도 매각을 추진하지 못했다.

평화를 가장한 침략의 의도를 간파한, 청년 안중근 의사가 일본 제국주의를 상대로 촌철살인의 '정의의 총'으로 진정한 동양평화를 위해 이토 히로부미를 쏜 것이다. 이토 히로부미는 러일전쟁 직후 한국의 국권을 강탈하고, 나아가 중국 만주까지 넘보는 침략의 원흉이자 동양평화의 파괴자이고, 더 나아가 세계평화를 파탄시킬 인물이기 때문에 안중근 의사가 하얼빈역에서 동양평화를 위해 권총으로 그를 주살한 것이다. 이것을 하얼빈 의거라고 한다.

남북철도, 평화를 위하여 달린다

하얼빈 일본총영사관에 수감된 안중근 의사는 1909년 11월 1일 하얼빈에서 랴오둥반도 최남단 뤼순으로 이동된다. 뤼순으로 가는 길은 평화의 길이었다.

11월 3일 관동도독부 감옥서(현 뤼순일아 감옥구지 박물관)에 도착했다. 감옥에서 안중근 의사는 불후의 역작 『동양평화론(東洋平和論)』을 저술했다.

동양 평화론에 "일본이 첫째, 한국의 국권을 되돌려 주고 둘째, 중국 만주에 대한 침략의 야욕을 버리며 셋째, '독립한' 중국·한국·일본이 동맹하여 평화를 부르짖고, 서로 화합하여 평화를 위해 뤼순에 동양평화 협의체 건설"해야 동양평화가 이루어진다고 보았다. 그래서 안중근 의사는 과감하게 자신을 던져 한국의 독립을 갈구하고, 동양평화를 유지하며, 희망하셨다.

그러나 우리는 지금 안중근 의사 동양평화론을 과거 역사로만 기억하고 있는 것은 아닌가? 일본은 역사에 대한 깊은 반성과 성찰도 없이 군사 대국화의 길로 나아가고, 지금도 여전히 독도 영유권을 주장하고 있지 않은가?

한국철도공사에는 안중근 의사의 유언을 실현해 줄 진정한 대한독립의 광복을 위하여 남북철도 사업을 하고 있다. 안중근 의사는 통일된 조국을 염원하고 계실 것이다. 인류의 보편적 가치 평화는 현재진행형이다. 한국철도공사 남북철도는 평화를 위하여 달리고 있다. 안중근 의사 유해도 통일로 귀결이 된다. 중국은 안중근 의사 유해 발굴을 위해서는 안중근 의사가 고향이 황해도 해주임을 들어 남북한 공통된 의견으로 신청하기를 희망하고 있다. 한국철도공사 남북대륙사업처장인 김원응은 말한다.

"우선, 남북한 교통의 연결이다. 통일과 평화의 주춧돌이다. 둘째, 안중근 의사 같은 독립운동가 및 애국지사를 한민족이 공동 선양을 통해 공감대와 교류의 물꼬가 지속되어야 한다. 셋째, 기관사 출신으로 통일된 남북철도로 안중근 의사 유해를 모시고 싶다."

안중근 의사의 후손된 도리를 다하고자 남북대륙철도 연계 운행을 노력하는 나의 친구가 자랑스럽다. 남북철도가 이어지는 날, 남북이 하나 되어 통일되는 날, 안중근 의사의 우렁찬 만세 소리가 들릴 것이다.

- 제5장 -

하얼빈 아리랑

- 하얼빈 아리랑
- 한·중 우의의 상징, 하얼빈 안중근 의사 기념관
- 하얼빈의 역사 인물, 안중근 연구가 서명훈 선생
- 독립정신의 현재적 계승, 김기영 선생

하얼빈 아리랑

하얼빈은 중국 동북지역 흑룡강성의 성도이다. 2020년에 실시한 중국 인구감소하여 조사에 따르면, 중국에 거주하는 조선족은 총 1,830,929명이다. 1982년에 실시한 구 조사에 의하면, 흑룡강성에 거주하는 조선족은 총 약 43만 명이었는데, 2010년에는 약 38만 8천 명으로 감소했다.

대부분 쌀 생산을 위하여 강과 하천에 거주하여 촌락을 형성하고 있다. 흑룡강성의 조선민족은 19기말 한반도에서 이주를 시작하여 1910년대 일본 제국주의 강제병합이후 대량으로 이민을 왔다. 『동녕현지』에 따르면, 1888년(광서 14년) 흑룡강성 동녕현 삼차구 고안촌에 20여 호의 한인이 황무지를 개척한 것으로 한인의 흑룡강성 이민사가 시작됐다. 삼차구는 후부트강, 소우사구강, 대두천강 세 갈래 강물이 합류되는 곳으로 수원이 풍부한 곳이었다. 고안촌에는 성이 양씨, 안씨, 전씨, 김씨인 한인 20여 세대가 살고 있었다고 『동녕현지』에 기재되어 있다. 원래 이 마을은 '고려영'으로 불렸는데, 안종호란 사람이 촌장으로 있을 때, '고려영'의 '고' 자에 자기의 성을 붙여, '고안촌'이라고 바꾸었다고 한다. 물적 증거도 있다. 삼차구 단산자 마을 북쪽 단산자 봉우리에 광서 16년(1890년) 8월 15일에 세운 '통정대부 김공지묘'라는 돌비석이 있다. 이 비석에는 다음과 같이 쓰여 있다. "경주 김씨 춘문의 원 고향은 조선 경상북도 경주이다. 시조의 현이 함경북도 종성에 파견되었는데… (후략)". 1903년에는 러시아의 동청철도 건설에 따른 시베리아에서 대량의 한인 노무공이 이동하였다. 흑룡강성의 수도는 용강성(龍江省)이라하여 지금의 치치하얼(齊齊哈尔)에 성도를 두고 있었다.

1919년 4월 4일 자 『원동보』 보도에 따르면, "한인북래자일익다(韓人北來者日益多)"라 하여, 하얼빈 내 한인의 증가를 다룬 것을 알 수 있다. 1919년 하얼빈의 조선족은 원래 380인에서 722인으로 증가, 중동철도 주변에 거주하는 조선족 인구의 증가로, 1923년은 322호에서 868명으로 증가했다. 1910년 하얼빈에 조선족 거류민회와 소학교가 있었다. 한인 밀집 주거지는 고려가(지금의 서팔도가)였다. 서팔도가에 거주하는 한인들은 대부분 도리구(道裏區)에 살았다. 상업에 종사하여 치과 진료소, 약국, 세탁소, 여관업을 했다. 한인들 가운데는 러시아에서 온 사람들이 많았다. 그리하여 하얼빈과 러시아의 접촉이 많았고, 러시아말을 하는 한인들이 많았다. 당시 조선족 소학교 1907년에 동흥학교가 설립되었고, 러시아말과 글도 가르쳤다. 1915년에는 하얼빈시 고향둔(顾乡屯, 꾸샹)에 조선족 소학교(동명학교. 목단강에도 동명학교가 있었음)가 설립되었다. 고향둔은 바로 하얼빈 송화강 하류 지류에 있었다. 벼 재배가 용이한 지역이었다. 1920년에는 9월 5일에는 하얼빈 영실 조선족 학교가 설립되었고, 하얼빈 조선문보인 『북만신보』가 발행되었다. 이는 하얼빈 내 한인의 증가에 기인한 것이다.

1921년 흑룡강성 조선인회 편제 편제 자료를 보면, 1910년에 하얼빈 조선인회가 있었다는 것을 알 수 있다. 소재지는 하얼빈이고, 호수는 132호로 등재되어 있다. 1934년도 흑룡강 경내 38개 조선족 거주지역이 있었다. 하얼빈 일본영사관 관할에만 17개 조선인회가 있었다. 그중 하얼빈 조선인회는 1918년 8월에 설립이 되어 회원 수는 1,300명을 갖춘 규모로 성장해 있었다. 1937년 하얼빈 관할 조선족 직업별 인원 통계표에 따르면, 농업이 10,985호(남자 30,330명, 여자 22,575명)로, 농업에 종사한 인구가 가장 많았다는 것을 확인할 수 있다. 상업에 1,385명, 요식업에 499명, 여관업에 393명, 음료업에 368명이 종사했고, 교원도 116명이 있었다.

교육 기관에 대한 조사를 보면, 1910년경, 조선인민회에서 경영한 영실학교에는 교사 2명과 학생 48명(남학생 26명, 여학생 22명)이 있었는데 조선인민 애국지사와 자력갱생의 공동체 역할을 했다.

1931년 9.18사변 이후 조선인 보통학교가 하얼빈시 상무가에 있었다. 교원은 15명이고, 학생은 656명이었다. 1947년에는 하얼빈시 조선족 중학교의 설립 후,

하얼빈시 조선 민족 예술관

하얼빈시 조선족 1중, 하얼빈시 조선족 2중(1962년 설립) 등 다양한 형태의 고등교육 기관이 생겼다. 현재 하얼빈시 조선족 1중학교에는 교사 123명과 학생 1,280명이 있다.

러시아의 조차지 이후인 1923년에 하얼빈으로 성도가 옮겨와 지금에 이르고 있다. 1945년 8월 일본의 무조건 항복으로 하얼빈에도 자유와 광복이 왔다. 1945년 8월 20일 '하얼빈 보안 총대 조선인 독립대대'가 설립되자, 300여 명의 조선족 청년들로 집중이 되었다. 총 3개의 중대로 하얼빈 보위 역할을 하였고, 후에 인원이 증가하여 600명이 되었다. 1950년 6.25전쟁의 발발은 하얼빈시 조선족들에게도 영향을 미쳤다. 1950년부터 1951년 6월 하얼빈시에는 102명의 조선족 출신이 북한군으로 참전하여, 주로 자동차 기사, 의료부대, 통역을 맡았다. 이들 역시 희생된 역사적 슬픔을 가지고 있다.

하얼빈시 조선 민족 예술관에 가면, 하얼빈시 조선족 백년사 박물관이 있다. 하얼빈 도리구 안성가 85호이다. 버스가 직접 가는 것은 드물다. 하얼빈역에서 택시를 타면 기본요금 조금 넘는 정도의 거리다. 중앙대가하고도 그리 멀지 않다. 하얼빈시 조선 민족 예술관은 중앙대가 서6도가에 있었다.

하얼빈에 정착한 조선족들은 지금의 서 6도가를 고려가라고 불렀다. 안중근 의사가 지금의 서6도가를 접하고 이토 히로부미가 하얼빈으로 오는 구체적 상황을 파악한 곳이기도 하다. 고려가는 지금의 하얼빈의 대표적인 100년 호텔인 마디얼 호텔이 인접해 있는 하얼빈 최고의 상권이다. 1950년 1월 2일부터 하얼빈시 조선 민족 예술관이 운영되었다. 지금의 자리로는 2007년에 이전했다. 조선 민족 예술관의 2층에 조선족 백년사 박물관을 보면, 조선족 정착과 이민의 역사가 자세히 소개되어 있다. 또한 조선족 수도작 중심의 농기구나 생활상도 재현해 놓았다. 직원은 35명이며, 『송화강(松花江)』이라는 잡지도 편찬하고 있다. 주로 조선민족예술관 기능, 안중근 기념관, 조선 민족 박물관, 하얼빈시 조선 백년사 발전관, 조선족 도서관 등을 운영하고 있다. 2007년에는 한국 '매헌 윤봉길 월진회'와 자매결연을 맺어 교류를 이어가고 있다. 매년 안중근 의사 하얼빈 의거를 조직하여 선양 사업을 하고 있다. 특히 충남 예산에서 개최되었던 2010년 한일 경술국치 강제 병합 관련 세미나가 지금도 기억에 생생히 남아 있다. 당시 조선민족예술관 관장이자 하얼빈시 안중근 의사 기념관장이신 강월화 관장은 한국 정치인들의 부끄러운 역사 인식에 대해 의미 있는 쓴소리를 했다. "시간이 바쁘다고 내용은 공부하지도 않고 동상 앞에서 사진만 찍고 가는 사람이 있는가 하면 기자들을 대동하고 40분씩 녹화만 하다가 가는 사람도 있고, 안중근 의사 100주년 기념행사 때는 자신들의 좌석을 중요한 자리에 배치하지 않았다고 화내고, 우리가 어렵게 돈을 마련해 기념품으로 만든 안중근 의사의 동상을 길거리에 던지고 가는 단체도 있었다."며 "오히려 열심히 전시내용을 보고 자신들이 아껴뒀던 용돈을 모금함에 넣고 가는 철부지 학생들과 감격의 눈물을 흘리고 가는 어르신들이 우리를 감동시킨다."라고 했다. 진정한 독립군 같은 기개이다.

다음은 하얼빈 시내 조선족 인구 통계와 분포지역을 보자.

1986년도 흑룡강성 조선족 민족 통계에 의하면, 499개 조선족 민족촌이 있다. 그중 하얼빈시에는 29개의 민족촌이 있고, 주로 하얼빈시와 교외에 15개 마을, 아성시 13개 마을, 호란현에 1개 마을이 있다. 구체적으로 보면, 하얼빈 도리구 군력향 우의촌 838명, 신성촌 302명, 도외구 송포촌 신촌 426명, 동명촌 525

명, 전진향 홍광촌 387명, 태평구 민주향 우의촌 1,240명, 신발촌 807명, 홍성촌 734명, 성광촌 280명, 단결향 동광촌 640명, 향방구 행복향 신향방촌 910명, 성고자진 신성촌 1,270명, 홍선촌 530명, 성광촌 200명, 동력구 조양향 영풍촌 320명, 아성시 옥천진 홍광촌 920명, 쌰풍향 쌍풍촌 612명, 쌰홍촌 536명, 사리향 노동촌 343명, 료전 만족향 홍신촌 835명, 광승촌 766명, 성광향 해동촌 750명, 대름향 신풍촌 629명, 야고진 신광촌 768명, 고승촌 504명, 평산진 성광촌 789명, 호란현 허보향 수도촌 240명의 민족 동포가 거주하였다. 현재는 상당수 한국, 일본, 그리고 중국의 남방으로 경제적, 교육적 요인에 의하여 새롭게 거주지가 분산되어 가고 광역화 되어졌다. 현재는 조선족 동포의 소수 인원에 의한 학생의 부족, 민족 간부의 부족 등으로 미래의 동력이 저하되고 있는 현실이다. 그러나 여전히 단결을 위해 매년 10월 하얼빈시 조선 민족 예술관 주체로 하얼빈시 제1 중학교에서 조선족 운동회를 개최하여 민족의식을 단결하고 고취하고 있다. 하얼빈은 중국어를 배우기 위하여 수많은 한국 젊은이들이 찾는다. 하얼빈의 중국어 발음이 표준 발음이기 때문이다. 이 밖에도 학위를 취득하기 위해 하얼빈으로 온 한국의 유학생들과 하얼빈시에 주재하는 기업들이 있다. 최근에는 한국무역투자진흥공사가 하얼빈에 설치되어 한국기업들의 권익을 도모하고 있다. 특히 하얼빈 한인회를 중심으로 안중근 의사 선양, 하얼빈시 교민들의 복리 증진, 조선족 조선족 동포들과의 협력, 민족정신과 나라에 대한 사랑을 공고히 하고 있다. 민족이라는 동질감과 안중근 의사의 자랑스러운 매개체를 통하여 하얼빈의 아리랑이 울려 퍼지고 있다.

한·중 우의의 상징, 하얼빈 안중근 의사 기념관

하얼빈에 가면 반드시 들리는 곳이 있다. 매년 10월 26일 안중근 의사 하얼빈 의거일이 되면 하얼빈시의 한국 교민과 동포들은 하나가 되어 안중근 의사를 선양하고, 안중근 의사 순국일(3월 26일)이 되면 안중근 의사를 추모하고 그리워한다. 그 장소는 바로 하얼빈역에 위치한 안중근 의사 기념관이다. 한민족이 하나 되어 영웅을 중심으로 현재의 고민을 나누고 미래를 지향하는 아리랑의 가교 역할을 하고 있다.

흔히 역사는 지난 과거에 존재했던 어떤 사실이라고 생각하지만 과거에만 머물지 않고 오늘, 내일까지 계속 존재하고 그 영향을 미치는 것이 역사이다. 안중근 의거는 하얼빈 도시 역사에 길이 남는 중대사이며, 하얼빈 안중근 의사 기념관의 설립은 오늘날 한중 문화교류에 가장 중요한 이음목이 되고 있다.

한중은 지정학적으로 밀접한 관계이다. 20세기에 진입한 후 수많은 한반도의 독립운동 투사들이 중국으로 건너와서 이국땅에서 자국의 주권과 민족독립을 쟁취하기 위한 투쟁을 벌였다. 중국은 같은 아픔을 겪는 한인 독립운동가들의 투쟁을 적극 지원하였고 일제의 침략에 대항하였다. 공동의 투쟁사는 양국 국민의 상호 이해를 깊이 하였고 투쟁 과정에서 남겨진 수많은 유적지들은 오늘날 우리가 양국 간 교류를 활성화하고 우의를 돈독히 하는 교량이 되고 있다.

1909년 10월 26일, 안중근이 하얼빈역에서 일제 조선 침략의 원흉인 이토 히로부미를 주살했다. 이로부터 두 나라 인민이 공동으로 일본 제국주의를 대항하는 투쟁이 시작되었고 안중근 의사와 하얼빈의 인연도 시작되었다. 그리고 백여 년이 지난 2014년 1월 19일, 하얼빈 안중근 의사 기념관이 하얼빈역에 건립되었다.

2006년, 하얼빈시 조선 민족 예술관이 9,300㎡의 새 관사로 이전하게 되었다. 안중근 의사 기념관을 만들 수 있는 장소가 생겼다. 하얼빈시위, 시정부와 성, 시 외판의 윤허 하에, 시임 서학동 관장과 김우종, 서명훈 등 원로 학자들의 노력에 힘입어, 2006년 7월 1일 하얼빈시 조선 민족예술관 새 청사 낙성의식 당일 안중근 의사 기념전(관)이 예술관 1층에서 공식 개관했다.

2006년 개관 당시 기념관은 조선 민족 예술관 1층에 위치했다. 2008년 1층에서 2층으로 이전하여 재전시하였고 2009년 의거 백 주년을 맞이하면서 동상과 부조를 새로 만들어 기념관다운 모습을 갖추었다. 하지만 안중근 의사 기념전(관)은 상설전시에 더 가까운 형식이었다. 명칭도 기념실, 기념전을 반복하면서 기념관이라는 칭호를 쓸 수 없었다. 그러나 한계가 있음에도 불구하고 안중근 의사 기념전(관)은 매년 만여 명의 방문객을 맞이하면서 한중 교류에 큰 역할을 했고, 기차역에 기념관이 설립될 수 있는 소중한 밑거름이 되었다. 기념전(기념관)의 설립을 시작으로 하얼빈시는 조린공원 내에 청초당 유묵비를, 하얼빈 기차역 플랫폼에 사건 발생 위치도를 만들었고, 화원 소학교(의거 당시 일본총영사관건물 구지)에 보호 건축 표지판을 만들고 안중근이 이토 히로부미를 격살한 후 감금되었던 곳이라고 적어 넣었다. 기념관-조린공원-김성백 집터-기차역-화원 소학교로 안중근 코스가 형성되자 많은 역사탐방단, 수학여행단이 하얼빈을 찾게 되었고 안중근을 계기로 하는 많은 행사들이 추진되었다. 안중근 의거의 현실적 의의가 빛을 발산한 것이다.

2013년 6월 박근혜 대통령이 시진핑 주석과 회견하면서 하얼빈 기차역에 안중근 의거 기념물을 설치해 줄 것을 요청했다. 양국 정상회담의 결과물이며 한중 우의 증진의 견증으로 2014년 1월 19일, 하얼빈 기차역에 안중근 의사 기념관이 그 평화의 문을 열게 되었다. 기념물 대신 기념관을 만들었고 예술관에 있던 기념전(관)은 역사적 사명을 완수하였다. 하얼빈 시정부와 하얼빈 철도국에서 공동 출자한 이 기념관은 전 상무대합실 절반을 할애하여 만든 것이다. 또 플랫폼 내에 「안중근격폐이토사건발생지(安重根擊斃伊藤博文事件發生地)」 표지 간판을 새로 걸었고 플랫폼 쪽으로 투명 유리창을 만들어 관중들이 기념관 내에서 플랫폼 바닥에 있는 안중근과 이토의 위치 표시판을 볼 수 있도록 하였다.

옛 기차역 모양을 본 딴 기념관 외벽, 의거 시각 아홉 시 반에 멈춰 있는 시계, 이 절묘한 설계들은 방문객들에게 마치 역사의 순간으로 돌아간 듯 한 기분을 느끼게 한다. 가장 중요한 것은 이날부터 공식명칭을 '기념전' 또는 '기념실'이 아닌, '기념관'으로 쓸 수 있게 되었다는 것이다.

여기에서 강조하고 싶은 것은 하얼빈역에 안중근 의사 기념관이 설립될 수 있었던 것은 정상회담의 결과만은 아니고, 하얼빈시 동포사회가 수십 년간 안중근 의사 기념사업을 꾸준히 해왔고 하얼빈과 한국 간의 경제. 문화교류에 다방면으로 기여하면서 기념관 설립의 가치와 의의를 현지 정부에 충분히 인식시켜 주었기에 가능했다는 점이다. 안중근 의사 기념관 설립 후, 중국의 CCTV 7시 뉴스에서는 기념관 개관 소식을 전하면서 2006년부터 하얼빈시에는 안중근 의사 기념전이 있었다고 덧붙였다.

2014년 설립 당년, 안중근 의사 기념관은 122,900명의 방문객이 방문했다. 이

하얼빈 안중근 의사 기념관 내부

는 예술관 내 기념전이 지난 7년간 방문했던 인원수보다도 더 많은 숫자였다. 더욱 의미 있는 것은 기념관이 기차역에 세워진 후 원래 한국인 방문객 위주이고 중국인이 별로 없던 유감스런 국면을 타파하고 중국인이 60% 이상을 차지하는 관람객 구조로 바뀐 것이다.

하얼빈역의 일 평균 승객 유동량은 약 6만 명이다. 그렇다면 적어도 5, 6천 명은 플랫폼에 걸린 안중근 의사 의거 간판을 볼 수 있다는 얘기이다. 보다 많은 중국인들이 안중근 의사를 알게 되고 안중근 의사를 통해 한국과 하얼빈의 인연, 한중 공동 투쟁의 역사를 알 수 있다는 것은 참으로 뜻깊은 일이라고 생각한다.

안중근 의사 기념관의 공식 설립은 흑룡강성과 한국 각급 정부 기관 간의 방문교류 및 하얼빈시와 한국 각 지역 간의 문화교류에 큰 도움을 주었다. 안중근은 하얼빈이 한국 문화교류를 진행함에 있어서 빠질 수 없는 도시명함이 되었다. 2016년 4월 흑룡강성 당서기 왕샌쿠이는 한국을 방문할 때 한국 외교부 장관 등 관측 인사들과 회담하는 자리에서 "안중근 의사 기념관이 하얼빈역에 세워진 후 많은 한국 분들이 안중근 의사의 장거를 공부하기 위해 하얼빈을 찾고 있습니다. 하여 흑룡강과 한국의 우호 관계가 한층 깊어지고 있습니다."라고 말했다.

2017년 3월 19일, 하얼빈역 재건 공사가 시작되면서 안중근 의사 기념관은 임시로 예술관 1층으로 이전했다. 새로 만든 하얼빈 기차역은 외관을 백 년 전 모습으로 다시 회복하여 한결 멋스럽고 현대화한 시설로 재변신했다. 2019년 3월 30일, 안중근 의사 기념관은 다시 하얼빈역 남광장 귀빈대합실 옆에 재설치 되었다.

하얼빈 안중근 의사 기념관은 하얼빈시 조선 민족 예술관에서 일상 관리 운영을 책임지고 있으며 사업 예산은 하얼빈시 재정의 지원으로 운영되고 있다. 많은 한국인들은 안중근 의사 기념관은 한국에서 돈을 내어 만들었고 일상 운영 역시 한국 정부에서 지원이 나오는 걸로 오해하고 있다. 중국 정부에서 돈을 내어 한국의 국민 영웅을 위한 기념관을 만들어주고 운영해 주는 것은 한국인의 입장에서 고마워해야 할 일이라고 생각한다.

가장 피해야 할 것은 안중근 의사 관련해 지나치게 정치적 의미를 부여하고 불필요한 이슈를 만드는 것이다.

2019년 중국 정부의 하얼빈역 증개축으로 인해, 안중근 의사 기념관도 휴관했다가 하얼빈역의 현재 위치로 확장하여 재개관했다.

오늘을 살아가는 우리가 해야 할 것은 안중근 의사의 애국·애족 정신을 선양하고, 안중근 의거를 한중 양국 공동의 역사문화자원으로 활용하여 양국 간의 경제·문화교류에 일조하는 것이다.

하얼빈 안중근 의사 기념관의 설립 취지는 역사를 정시하고 평화를 지향하는 것이다. 이 설립 취지에 초점을 맞추어 양국 간의 우의 증진 나아가 동아세아 평화에 기여하는 것만이 안중근 의사 기념관이 지닌 미래지향적 사명이며 존속하는 의미일 것이다.

역사는 기록하는 자에 의하여, 기억되어져야 한다. 평화주의자 안중근 의사가 만들어 놓은 독립과 평화의 소중한 역사는 영원히 전 세계인의 마음속에 빛날 것이다. 이에 따라 안중근 의사 기념관은 한국인과 중국인이 즐겨 찾는 평화의 상징이라고 할 수 있을 것이다.

서명훈선생(좌)과 저자

서명훈선생

하얼빈의 역사 인물, 안중근 연구가 서명훈 선생

나는 서명훈(徐明勳) 선생에 대한 이 글을 쓰면서 다시금 15년간의 중국 생활 중에서 하얼빈에서 선생님의 깊은 사랑과 애정을 반추한다. 70 노구에도 흐트러짐 없는 연구 자세, 병마와 싸우실 때에도 일어나자마자 컴퓨터에 앉으셔서 키보드를 두드리던 학문의 열정을 이 글에 다 담을 수 없다. 상하이 도서관 근대사 연구실에서 사료를 찾는 법을 한 달 간 같이 생활하시면서 가르쳐 주시던 자상함은 나의 인생에 잊어서는 안 되는 귀중한 삶의 정신이다.

서명훈 선생은 나의 스승이시다. 중국 하얼빈에 거주하는 동안 안중근 의사

뿐만이 아닌 연구에 대한 깊은 가르침을 주신 분이다. 서명훈 선생은 1931년 길림성 연길현(吉林省延吉縣)에서 태어나셨다. 1954년 6월 중국 중앙민족학원 정치학과를 졸업하고, 1983년까지 목단강시(牡丹江市) 조선족 학교 선생을 시작으로, 흑룡강성 민족 사무위원회, 하얼빈시 민족종교사무국 부국장을 역임하셨다. 1993년 퇴직하셨다. 주요 저술로는 731부대 마루타를 다룬 일본 서적 『악마의 낙원(1,2,3)』을 번역하여 하얼빈시 사회과학원 우수 성과물 3등장을 받으셨다. 흑룡강성 성위 당학교 교수와 하얼빈 공업대학 중한 연구소장을 역임하신 김동주 교수에 의하면, 서명훈 선생의 저작은 "흑룡강성 조선민족의 분투사, 개척사, 발전사이며 생동한 민족교재라고 할 수 있다. 독자들이 서명훈 이론 연구는 조선 민족의 이민 분투사, 경제, 문화 발전의 순서로 정리하였다"고 평가하고 있다.

무엇보다 서명훈 선생님의 주요 연구 부분은 두 부분으로 나뉜다. 우선 민족 연구인 흑룡강성의 조선족 연구와 사랑에 평생을 바치셨다. 『조선의용군 3지대』, 『하얼빈시 조선민족 백년 사화』를 집필하시고 흑룡강성 소수 민족의 권위 신장을 위하여 힘쓰셨다. 『흑토에 찍힌 조선족의 발자취』를 편저하였다. 둘째, 안중근 의사를 중국에 선양하시고, 하얼빈 현장에서 역사를 기록하고 복원하셨다. 대표적인 공헌은 안중근 의사 의거 현장의 복원이다. 하얼빈역 1번 플랫폼에 안중근 의사의 주살 지점(삼각형)과 이토 히로부미의 피격당한 자리(사각형)

를 역사적으로 고증하고 하얼빈 시정부에 표지석을 설치하게 했다. 역사의 현장의 위대한 복원이다. 서명훈 선생님은 나에게 말씀해 주셨다. "안중근 의사와 이토 히로부미 사이의 거리에 대한 어떤 자료는 1m, 어떤 자료는 2m, 또 어떤 자료에는 5발짝, 8발짝, 10발짝 제각각이었다."라고 하면서 하얼빈역 플랫폼에 가서 플랫폼 길이를 재보고 각종 자료와 상황을 종합해 두 사람 사이의 거리가 5m였다는 것을 밝히셨다.

2007년에 하얼빈시 조선 민족 예술관에 세워진 안중근 의사 기념전, 2014년 하얼빈역에 세워진 안중근 의사 기념관, 2018년에 하얼빈역에 다시 세워진 안중근 의사 기념관에 안중근 관련 기록물과 고증은 서명훈 선생의 아이디어와 연구의 결과물이다.

또한 안중근 의사가 유언으로 남기셨던 하얼빈공원(현 조린공원)에 청초당의 유묵을 세워 놓아 하얼빈 시민들 곁에 안중근 의사를 곁에 두게 하셨다. 서명훈 선생의 안중근 의사에 대한 연구의 계기는 다음과 같다. "어릴 때 어른들에게 안중근 의사 이야기를 듣고 너무 자랑스러웠다"면서 "1988년 한국을 방문해 독립기념관이나 안중근 의사 숭모회에서 받은 책을 읽은 뒤 안중근 의사에 대한 연구를 시작했다"고 2014년 8워 14일 『동아일보』에서 밝혔다. 서명훈 선생의 안중근 연구는 1992년 한중수교 이전이다. 1950년대 하얼빈시 민족 종

2014년 정식 개관한 안중근 의사 기념관 전경

교국에 근무할 당시 한국의 독립운동 및 항일 단체 자료를 수집 조사한 것이 연구 계기가 되었다.

서명훈 선생의 안중근 의사 저술은 중국 내에서 독보적이다. 서명훈 선생의 일화를 소개한다. 2005년 한국의 전임 총리가 하얼빈을 방문한 적이 있다. 흑룡강성 정부와 하얼빈 시정부에서는 선물을 고민했다. 가장 좋은 것이 안중근 의사 저작이라고 생각하여 서명훈 선생에게 의뢰했다. 서명훈 선생은 그 당시 병원에 입원해 계셨다. 입으로 구술을 하시면 사모님이신 이영희 여사께서 받아 적고 타자를 치면서 탄생한 것이 바로 『안중근 의사 하얼빈에서 열하루』이다. 안중근 의사가 1909년 10월 22일부터 1909년 11월 1일까지 하얼빈 의거의 행적을 기록한 책이다. 2009년 안중근 의사 하얼빈 의거 100주년을 맞이하여『중국인 마음속의 안중근』 편찬했다. 하얼빈, 심양, 천진, 북경, 상해, 장사, 광주, 홍콩 등 중국 내 각 도서관을 일 년간 손수 다니시면서 안중근 의거 당시 기사를 찾아 편찬하셨다. 후에 한국 독립기념관에서 한국어로 번역 출간되었다. 그 후 서명훈 선생님이 주필을 맞으셨고, 당시 안중근 기념관장인 강월화 관장과 내가 부주필이 되어 안중근 의사 기념관에서 2011년 10월 안중근 의사 하얼빈 의거 102년을 맞아 3개 언어로『안중근 의사 지식 문답』을 발간했다. 겨울에는 추운 하얼빈을 피해 휴양차 중국 해남도 조선촌 천인갱의 설움을 밝히시고자, 해남도 삼야(海南嶋三亞) 겨울 휴양지에서 끝임 없는 연구를 하였다.

서명훈 선생님은 안중근 의사 연구에 대해서 다음과 같은 소견을 밝힌 바 있다.

"나에게 안중근 연구 전문가란 칭호를 부를 때면 부끄러운 마음이 앞선다. 지식 구조나 연구성과로 볼 때 안중근 사상을 배우는 학도라고 하는 게 좋을 것 같다. 다만 현재 안중근 연구에서 나타나는 지역이나 출신, 민족 등에 국한되는 편협한 사고방식은 버려야 된다고 본다. 안중근 의사는 우리 한민족의 영웅일 뿐만 아니라 아시아 나아가서 세계의 영웅임에 손색이 없다. 100년 전 안중근 의사가 제창한 평화 사상은 오늘날 유엔의 설립 정신과 일맥상통한 것이다. 그리하여 안중근을 세계에 널리 알리고 연구하는 것은 우리 모두의 사명인 것이다."라고 흑룡강 신문 2009년 4월 17일 자에서 안중근 의사 하얼빈 의거 백 주년 연구에 대한 견해를 밝혔다. 즉, 안중근 연구에 대한 열린 마음과 개방된 사고, 안중근 의사는 우리 민족 영웅을 넘어 세계의 영웅으로 알리기 위한 평가를 시작한 것이다.

서명훈 선생은 생전에 안중근 연구에 대한 방향을 말씀하셨다. 우선, 〈안중근 연구 총서〉를 출판할 필요가 있다. 전국각지에 널려 있는 안중근에 관한 자료들을 체계적으로 수집 정리 종합하여 책으로 묶어서 〈안중근 문화 예술 작품집〉, 〈안중근과 5.4운동 문화 운동 자료집〉 등의 출판을 제안하셨다. 둘째, 중국 내 안중근 연구의 구심점 역할을 할 수 있는 연구 센터가 있어야 한다고 제언하셨다. 안중근 연구를 심화시키기 위한 기구의 필요성을 역설하면서 하얼빈시 사회과학원의 지방사 연구소에 안중근 연구 센터와 다롄 지역에서는 뤼순감옥에 안중근 연구 센터를 주문을 하셨다. 서명훈 선생님이 돌아가신 지 올해로 4년째이다. 중국 내 안중근 의사 연구 세미나와 연구 저작물은 거의 보이지 않는다. 통탄할 노릇이다. 한민족의 보배를 잃어버린 것이다.

이상으로 보면, 안중근 의사는 대한민국 근대사의 상징적 인물이라고 할 수 있다. 서명훈 선생은 중국 내 안중근 의사 연구의 상징적 인물이셨다. 안중근 하얼빈 의거의 구체적 내용과 현장 고증은 물론이고 저작물, 인쇄 매체, 안중근 기념관 및 유물 설치 내용에 대한 자문을 통하여 안중근 정신을 계승하여 중국인들의 마음속에 보다 정확하고 사상을 알리는 역할에 한평생을 공헌하셨다.

서명훈 선생는 생전에 후학들에게 말씀하셨다.

“안중근 의사에 대한 주은래 총리 등 중국 명인들의 평가에서도 볼 수 있는 바와 같이 안중근의 의거는 중요한 역사적 의의를 가지고 있다. 이를 백 번 천 번 강조해도 과분하지 않다고 본다. 역사적인 현장 하얼빈에 있는 우리로서는 당연히 앞장서서 안중근 의사를 널리 알려야 할 것이다. 하지만 현재 젊은이들의 관심이 부족한 것이 아쉽다. 만약 젊은 학자들이나 지성인들이 안중근 연구에 나선다면 백방으로 지지할 것이다.”(『흑룡강 신문』, 2009. 4. 17.). 즉, 안중근 연구를 하는 중국에서 후학들이 나오길 기대하고 희망을 하신 것이다.

나는 서명훈 연구의 계승을 위한 제언을 다음과 같이 제시한다.

첫째, 하얼빈 의거 연구 완성을 위한 추가 연구 내역을 지속적으로 해야 한다.

하얼빈 의거 현장을 기록한 러시아 사진사 주빌레 촬영기사 촬영물 발굴, 중국 잡지로 본 안중근, 안중근 동지들과 찍은 사진관의 위치 고증, 당시 중국 정부의 안중근 의거 판단에 대한 지속적 연구가 이루어져야 한다.

둘째, 서명훈 안중근 연구의 정신을 계승해야 한다.

오늘날 국민과 젊은이들에게 안중근과 같이 나라를 위해 목숨까지 내놓는

조 사

서명훈 선생께서 병환으로 별세하였다는 뜻밖의 비보에 슬픈 마음 금할 길 없습니다.

고 서명훈 선생은 바로 하얼빈의거의 고장에서 민족의 영웅인 안중근 의사의 연구에 매진하시어 뜻깊은 족적을 남기셨습니다.

서명훈 선생은 비록 떠나셨지만 선생이 평생토록 널리 알리도록 힘쓰셨던 안중근 의사의 나라 사랑 정신과 동양평화 사상은 겨레의 가슴 속에 깊이 간직될 것입니다.

저희는 서명훈 선생의 유가족과 제자들이 안중근 의사의 정신을 널리 전파하려는 선생의 뜻을 계속 이어나가리라는 것을 굳게 확신하고 있습니다.

안중근 의사에 대한 평소 고인의 가르침을 되새기면서 삼가 조의를 표하오며 머리 숙여 고인의 명복을 빕니다.

2016년 10월 5일 안중근의사숭모회·안중근의사기념관

조사

사)매헌윤봉길월진회 회장

항일 독립 투쟁의 고향 만주에 큰 별이 졌습니다.

투병 중에도 안중근 의사 연구의 손을 놓지 않으셨던 서명훈 선생님!
당신은 우리의 큰 별이셨습니다.

평생 흐트러짐 없이 안중근 의사 연구에 매진하셨고 선양 사업을 반석에 올려놓으셨습니다.
우리 민족에게 안 의사의 정신을 일깨우시느라 노구의 몸을 아끼지 않으셨습니다.
특히, 많은 어려움 속에서도 우리 월진회와 안중근의사기념관 간의 교류를 이끌어 주셨습니다.

한결같은 당신의 열정, 진정어린 가르침, 참된 삶을 우리 모두는 알고 있습니다.
당신이 살아낸 삶을 거울삼고 남겨놓으신 가르침을 기리고 따르겠습니다. 못 다하신 연구를 이어가고 유해 발굴에 힘을 보태겠습니다.

보내야만 하는 안타까움에 너무 슬픕니다.
안중근 의사님을 비롯하여 만주를 누볐던 수많은 독립투사들이 하늘에서 영접해 주실 것입니다.
이제 세상 근심 모두 내려놓으시고 영면 하옵소서
삼가 선생님의 명복을 빕니다.

대한민국 97년 10월 5일

헌신적인 애국심을 요구한다면 이는 시대착오적이라고 치부할지 모르겠다. 그러나 우리가 역사를 가르치는 이유 중의 하나가 자신이 속한 사회와 국가에 대한 확고한 정체성을 인식하는 데 있다고 할 때, 안중근 의사가 우리에게 보여주신 실천적인 조국애와 민족의식 및 국가 사랑의 헌신적인 삶을 경모하고 이를 우리 자신과 후손들에게 길이 전해야 할 것이다. 이것이 서명훈 선생님의 안중근 연구의 정신인 것이다.

셋째, 서명훈 안중근 연구 총서 발간을 제언한다.

현재 서명훈 선생의 저작물은 전술한 형태로 소개되었다. 그러나 신문 기사(한중문)와 기고문, 강연, 논문 등은 도처에 산재해 있다. 이것을 하나로 묶어 발간할 필요가 있다. 이는 안중근 의사에 대한 서명훈 선생의 연구를 집대성하는 것은 물론이고, 하얼빈 의거에 대한 궤적을 한눈에 볼 수 있는 훌륭한 저작물이 될 것이다. 서명훈 선생님은 송화강에서 영원한 안식의 길로 가셨다. 송화강 뱃전에 선생님의 가시는 길이 지금도 눈에 선하다. 선생님 영면하시길 다시금 빌어 드린다. 후학이 없어서 늘 염려하셨던 선생님이셨다. 선생이 남기신 연구의 길은 이어질 것이다. 이는 안중근 의사의 후손된 민족의 도리이다.

민족에 대한 사랑과 진리에 대한 믿음은 둘이 아니라 하나이다. 그러므로 진리에 대한 믿음에 의하여 뒷받침되지 않는 민족에 대한 사랑은 헛된 것이다. 민

민족교육을 실천하는 김기영 선생

족의 사랑을 반석에 올려놓으시고자 평생 동안 실천하신 학자로서 안중근 연구를 하신 서명훈 선생님이다.

독립정신의 현재적 계승, 김기영 선생

연로하신 조선족 학자 분들을 만나면, 조선족의 인구 감소로 민족의 정체성과 공동체 상실을 우려하신다. 한중 수교 이전부터 조선족 분들은 경제적 혹은 학문적 사유로 해외로 이주하거나 유학을 많이 간다. 상당수가 일본, 한국 그리고 영미권 등이다. 흑룡강성 조선족 동포들도 예외는 아니었다. 김기영(金基永)

선생은 흑룡강성 영안(寧安) 출신으로, 연변대학교에서 경제학을 전공하고, 단동(丹東)에서 무역업에 종사하다 일본으로 유학을 갔다. 일본에서 유학 후 수년간 일본기업에 근무하다 부모님이 계신 하얼빈으로 돌아왔다. 조선족 학교에서 물리를 가르치시는 모친과 흑룡강 신문사에서 기자로 근무하시던 부친의 영향으로 민족 교육의 중요성을 몸소 체험하였다. 그리하여 하얼빈에 소재한 하얼빈 이공대학에 근무를 시작했다. 길림대학에서 문학가 윤기정 연구로 문학박사를 받았다. 김기영 선생은 하얼빈 이공대학의 국제교류를 주 업무로 한다. 일본과 한국 중심이다. 일본에서 체득한 일본의 섬세한 업무 처리 방식과 중국식 업무 처리 방식은 김기영 주임을 학교 교수사회와 하얼빈 내 민족 교육업계에서 주목을 받기 시작했다. 흑룡강성 조선족 청년가 교육협회를 이끌면서, 동포사회의 교육 증진을 위해 고민을 하였다. 또한 안중근 의사 의거지인 하얼빈에서 성장하여 독립운동가에 대한 선양에 깊은 관심과 의지를 가지고 있었다. 벌써 10여 년째 윤봉길(尹奉吉, 1908-1932) 의사 고향 충남 덕산에 교류를 하고 있다. 매년 윤봉길 의사 의거일인 4월 29일이 되면, 윤봉길 의사 홍커우 의거를 기념하면서 세미나 참가, 하얼빈 탐방단 교육, 특히 현재 한국인 하얼빈 이공대학에 장학금 안내와 진행을 하고 있다. 수많은 한국 학생들이 혜택을 받고 있다. 특히, 농촌 자녀를 전액 장학금과 기숙사 면제를 해주는 중국 흑룡강성 장학금을 지원해 주고 있다. 올해 한명의 졸업생이 벌써 배출되었다. 한국의 농촌 자녀가 하얼빈에서 미래의 꿈을 펼치고, 안중근 의사를 마음껏 찾아뵐 수 있는 것이다. 25살의 청년 윤봉길과 32살의 젊은 안중근 의사를 현재의 젊은이들에게 연결하고 있다. 이것이 독립운동의 현재적 계승이며 실천인 것이다. 100여 년 전 탈아시아를 주장했던 일본이 서구사회라고 부르짖고 제국주의화 되었을 때, 한중 양국은 공통된 일제의 그릇된 침략의 오판으로 역사적 상처를 가지고 있다.

한·중·일을 다양하게 겪은 김기영, 민족 교육자가 독립정신의 백신을 처방하고 있다. 이럴 때, 역사적 상처는 다시금 되풀이 되지 않을 것이다. 이제 한중이 20, 30여 년 후 세계의 중심국가에 오를 것이다. 하얼빈에서 배양된 젊은 한국의 학생들이 평화를 지향하는 아시아 시대를 열어갈 책임이 있다. 그 기초를 반석 위에 놓고 있다. 하얼빈의 아리랑, 하얼빈 동포와 한국인은 기억되는 존재가 되기 위해 오늘을 열심히 살아간다.

-부록-

- 안중근 의사 연보
- 안중근 의사 하얼빈에서 11일
- 안중근 의사 뤼순에서의 투쟁
- 하얼빈 대사기
- 참고문헌

부록

안중근(1879-1910) 의사 연보

1879년 1세, 1879년 9월 2일(음력 7월 16일), 황해도 해주부 수양산 아래 광석동에서 출생. 부친 안태훈과 모친 조마리아 사이에서 3남 1녀 중 장남으로 태어남. 태어날 때 배와 가슴에 북두칠성 모양의 7개의 흑점이 있어 북두칠성의 기운을 받고 태어났다고 해서 아명을 응칠이라 함. 1907년 망명 후 이 이름으로 활동.

본관이 순흥으로 시조 안자미(安子美)의 30세 손이며 고려조 명현 안향의 26대 자손임. 해주부에 10여대 세거한 향반으로 조부 안인수는 진해 현감을 지냈으며, 부 안태훈은 성균진사를 지냄. 고조부 때부터 해주, 봉산, 연안 일대에 많은 전답을 장만하여 황해도에서 이름난 부호가문으로 알려져 부친 때까지 이어짐.

1881년 3세, 동생 성녀 출생.

1884년 6세, 안씨 일가 해주에서 황해도 신천군 두라면 청계동으로 이주.

조부 안인수가 설립한 서당에서 한학교육을 받음. 동생 정근 출생.

1889년 11세, 동생 공근이 출생.

1892년 14세, 조부 인수가 사망하자 안 의사는 애통하여 병이 나서 반 년간 치병함.

1894년 16세, 재령군 신환면 김홍섭의 딸 김아려(당시 17세)와 결혼하여 후에 2남 1녀(딸 현생, 아들 분도, 준생)를 두게 됨.

황해도에서 동학을 빙자한 농민군이 소요를 벌일 때 안태훈은 의병을 일으켜 그들과 전투를 벌였고, 안 의사는 의려장인 부친을 도와 자진 선봉장이 되어 적장소를 급습하고 큰 공을 세움. 이때 안중근이 붉은 옷을 입고 있었으므로 적당히 달아나면서 '천강홍 의장군(하늘에서 내려온 홍의장군)이라 칭함.

안 의사와 김구가 상봉하는 인연을 갖음. 동학군의 해주성 공격의 선봉장 김구가 패전, 피신 중 안태훈 의려장의 초청으로 청계동에서 40~50일간 은거 생활을 함.

1895년 17세, 안태훈이 동학군으로부터 노획한 천여 푸대의 양곡을 군량으로 사용한 것이 문제가 되어 탁지부 대신 어윤중과 전 선혜청 당상 민영준으로부터 양곡을 상환하라는 압박을 받았으나 개화파 김종한의 중재로 일시 무마됨.

1896년 18세, 부친 안태훈 진사 천주교 명동성당으로 피신, 천주교 교리를 천주교 교리를 습득. 민영준이 다시 양곡의 상환문제를 들고 나오자 신변의 위협을 느낀 안태훈이 명동성당으로 수 개월간 피신하고, 성당 안에서 성서도 읽으면서 천주교 강론을 듣고 천주교에 입교하여 신도가 되기에 이르렀음. 그 사이 민영준의 일이 마무리되자 안태훈은 120권의 천주교 교리문답을 가지고 청계동으로 돌아와서 주민들과 인근의 유지들에게 나누어 주면서 전도 활동을 시작. 안태훈은 청계동으로 귀향한 후 일가친척과 마을 사람들의 동의를 얻어 사람을 보내 매화동 본당의 빌렘(한국명 홍석구)신부를 신천군 두라면 청계동으로 초빙. 청년 안중근 금란결의, 수렵, 기마, 음주를 즐기는 호방한 청년으로 성장.

1897년 19세, 안중근은 1월 중순 빌렘 신부로부터 '토마스(도마)'란 영세명으로 세례를 받음. 이때 그의 부친을 비롯하여 숙부, 사촌 등 일가친척과 청계동 및 인근 마을 사람 등 모두 33명이 함께 세례를 받음. 안중근은 빌렘 신부로부터 교리를 공부하며 평신도의 신분으로 빌렘신부와 함께 전도를 하게 되었고, 한편 불어를 배우며 신사상을 수용하게 됨. 이해 말 안 의사는 청계동을 사목 방문한 뮈텔(한국명 민덕효) 주교를 해주까지 수행함.

1898년 20세, 안 의사, 교회 활동에 헌신하다.

4월 하순, 빌렘 신부가 청계동 본당신부로 옮겨 청계동 본당이 설립됨. 청계동 본당에서 안중근은 숙부 안태건 회장과 함께 교회 일에 헌신. 안중근은 돈독한 신앙심을 갖고 청계동 성당의 초대 본당신부로 부임한 빌렘 신부를 따라 복사도 하면서 그를 수행하여 황해도의 여러 지방을 다니면서 전도 활동에 열중.

안 의사, 무법 일본인을 꾸짖어 승복시키다.

안중근이 서울에 가서 친구들과 더불어 거리를 걸어가다가 한 일본인이 말을 타고 지나가던 한국 사람을 강제로 끌어내리고 말을 탈취하려고 하는 장면을 목격함. 이때 안중근이 그 약탈자의 얼굴을 치면서 권총을 뽑아 그의 배에 갖다 대고 그를 크게 꾸짖어 승복시킴. 말 주인이 말을 도로 찾아서 간 후 그 일본 사람을 놓아 주니 많은 사람들이 안중근의 이름을 알고자 하게 됨.

1899년-1904년 21-26세, 안 의사, 교회의 총대로 추대되어 교우들의 어려운 문제 해결에 앞장서다.

금광 감리 주가가 천주교에 대한 비방을 심하게 하여 교회의 피해가 커지자 안중근이 총대로 선정되어 주가를 힐문할 때 무기를 든 금광

일꾼 400~500명의 위협을 받고 간신히 벗어남. 만인계(채표회사) 사장에 피선되어 출표식 때 기계 고장으로 군중 앞에서 수난을 당하였으나 함경도 사람 허봉의 도움으로 위기를 모면함. 서울 사는 전 참판 김중환이 옹진군민의 돈 5,000냥을 빼앗아 간 일과 해주부 진위대 병영 위관 한원교가 이경주의 집을 비롯한 재산과 아내를 강제로 빼앗은 두 가지 사실을 따지고자 상경하였으나 이루지 못함.

안 의사, 대학설립을 건의하다.

한국 교인들이 학문에 어두워서 교리를 전도하는 데 어려움이 적지 않다고 생각하고 서양 수사회 가운데서 박학한 선비 몇을 청해대학을 설립하여 국내의 영준 자제들을 가르칠 것을 뮈텔 주교에게 건의하였으나 거절당함. 이후 빌렘 신부로부터 배우던 불어 공부를 중단. 조정에서 해서교안(海西教案)을 사핵하고자 사핵사 이응익을 파견하여 천주교회의 중요 인물을 잡아들이는데, 안중근의 부친 안태훈과 숙부 안태건도 포함되었으나 빌렘 신부가 감싸주었고, 안태훈은 몇 달 동안 숨어 다님. 안태훈이 청국인 서가에게 봉변을 당하자 안중근이 친구 이창순과 함께 서가를 찾아가 따지고 외부에 청원한 결과, 진남포 재판소에 환부하여 승소 판결을 받음. 후에 다른 청국인의 소개로 서가와 만나 화해. 교우들을 성직자의 권위로 일방적으로 제압하는 빌렘 신부에 대항하여 서울의 뮈텔 주교에게 하소하려 하다가 빌렘 신부에게 구타를 당함. 이때 굴욕을 참고 신부에게 대들지 않고 곧 화해함.

1905년 27세, 안 의사, 중국 상해와 산동반도를 유심히 관찰하다.

신문, 잡지, 각국 역사 등을 읽으면서 정치사상과 독립정신을 높이던 안중근은 러일전쟁에서 승리한 일제가 한국의 주권을 침탈하려는 의도를 드러내자 안태훈과 상의하여 중국 산동이나 상해에 국외 항일터전을 잡을 계획으로 출국하여 중국의 상해와 청도 등지를 두루 다님. 상해에서 민영익을 2~3차례 방문했으나 만나지 못하고, 상인 서상근을 찾아가서 구국의 방도에 대하여 논의했으나 동의를 얻지 못함. 처음에는 나라의 어려움을 극복할 방도는 외국의 도움을 구하는 길도 있으리라 생각했으나, 상해의 천주교당에서 우연히 만난 안면이 깊은 르각(한국명 곽원량) 신부의 권유로 교육의 발달, 사회의 확장, 민심의 단합, 실력의 양성 등 4가지에 힘써야 함을 깨닫고 진남포로 돌아옴.

안 의사 일가 교통 요충지인 진남포로 이사하는 중 부친이 재령에서 병사. 가족들이 청계동에 돌아가 장례를 치름. 안 의사는 상해에서 돌아와 이 사실을 듣고, 진남포를 떠나 제계(齊戒)를 지키기 위해 청계동으로 다시 가 상례를 마치고 가족들과 함께 그해 겨울을 보냄. 이때 안중근은 독립하는 날까지 술을 끊기로 맹세하고 죽을 때까지 지킴. 이해, 장남 분도가 출생. 그러나 1914년 망명지 북만주 무린에서 어릴 때 병사 하였음.

1906년 28세, 안 의사 일가 진남포로 이사하고, 육영사업에 헌신하다.

4월 안중근이 가족을 데리고 청계동을 떠나 진남포로 이사해 양옥 한 채를 짓고 살림을 안정시키고, 교육구국운동에 투신하여 진남포에서 삼흥학교, 프랑스 신부가 경영하던 천주교 계통의 돈의 학교의 재정을 맡으면서 2대 교장에 취임. 이 무렵 서우학회(뒤에 서북학회로 개칭)에 가입.

1907년 29세, 봄에 안태훈과 친분이 있던 김 진사가 안중근을 찾아와서 간도, 노령 등 해외에서의 독립운동을 권함. 안중근은 재정을 마련하고자 한재호, 송병운 등과 함께 삼합의라는 석탄회사를 만들었으나 수천 원의 손해만 봄.

안 의사, 국채보상운동에 참여하다.

이 무렵 대구에서 일어난 국채보상운동이 전국적으로 확대되자 안중근은 이 운동에 적극 참여, 국채 보상회 관서지부를 설치하고 1천여 명의 선비들이 모인 평양 명륜당에서 의연금을 내도록 권유하였을 뿐 아니라 자기 아내와 제수들에게도 권고하여 반지 패물까지 헌납하도록 하는 등 열성적으로 구국을 위한 활동을 벌임.

안 의사, 서울에서 군대 해산을 목도하고, 간도, 연해주 지역으로 망명하다.

8월 1일 정미 7조약에 이어 군대가 해산되어 시위대가 봉기하였을 때에 안중근은 국외 활동을 통해 새로운 진로를 모색하고자 서울을 떠나 부산에 도착한 후에 다시 원산으로 향하다. 원산에서 선편을 이용하여 블라디보스토크(해삼위)로 가려 했으나 청진에서 일제 임검경관에게 발각되어 하선. 이에 다시 육로로 함북 회령을 경유하여 두만강을 건너 8월 16일 북간도 용정에 도착하다. 용정촌을 중심으로 북간도 일대를 3개월 동안 시찰하면서 애국계몽운동을 일으키려 하였지만, 이미 그곳에 일제 침략기구인 총감부간도파출소가 설치되어 여의치 못하므로 10월 20일에 연추를 지나 해삼위로 향함.

연해주에서 조국 독립투쟁을 시작함.

블라디보스토크에 도착한 안중근은 계동청년회의 임시사찰직을 맡아 항일독립운동에 큰 경륜을 펴기 시작. 한인사회의 유력자들에게 의병부대 창설에 대해 설득 작업을 시작. 이 과정에서 엄인섭, 김기룡

등과 의형제를 맺다. 이해 차남 준생이 출생.

1908년 30세, 안중근은 연해주의 한인촌을 순회하면서 동의회 회원을 모집하기 위하여 유세 작업을 벌임. 이에 다수의 한인들이 호응하여 무기, 자금 등을 지원하자 마침내 국외 의병부대를 조직하여 총독에 김두성, 총대장에 이범윤을 추대하고, 안중근은 참모중장의 임무를 맡음. 이들은 군기 등을 비밀히 수송하여 두만강 근처에서 모인 후 국내 진입 작전을 도모함.

안 의사, 300여 명의 의병부대를 거느리고 국내 진입 작전을 벌이다.

7월(음력 6월), 안중근 등 여러 의병장이 대를 나누어 두만강을 건너 함경북도 경흥 부근 홍의동과 신아산 부근으로 진공. 안중근 부대는 몇 차례 승첩을 올리고 일본 군인과 상인 등을 생포하는 전과를 올림. 안중근은 만국공법에 의거하여 포로들을 석방하면서 무기까지 내어 줌. 이 때문에 동료 의병들과 논란이 끊이지 않았으며 그중에서 부대를 나눠서 떠나 버리는 사람들도 많았음. 그 석방한 포로들에 의해 일본군에게 위치가 노출되면서 기습공격을 받고 회령 영산에서 일군과 약 4~5시간 큰 접전을 벌였으나 중과부적으로 패퇴함. 안중근은 수 명의 의병과 함께 일본군을 피해 달아나면서 열이틀 동안

단 두 끼만 겨우 얻어먹는 등 곤경을 겪으면서 연추의 의병 본거지로 돌아가다. 일본군을 피해 도망. 안중근이 블라디보스토크에서 의병의 재기를 도모했으나 여의치 못함.

안중근은 블라디보스토크에서 수청, 하바로프스크 등을 순회하면서 각지 한인사회의 교육과 사회 조직 건설에 힘씀. 특히 기선을 타고 흑룡강 상류 수천여 리를 시찰하다. 그러던 중 어느 산골짜기에서 일진회 회원들에게 잡혀서 구타를 당하고 죽음의 위기에서 간신히 풀려나 친지 집에서 상한 곳을 치료하며 그해 겨겨울을 지냄. 이 무렵 안중근이 1906년경부터 1907년 초까지 진남포에서 운영해 오던 삼흥학교는 심각한 재정난에 직면하여 진남포의 오성학교의 야학부로 재편됨. 8월 20일 황해도와 평안도 50여 개 학교의 5,000여 명 학생들이 참가한 연합운동회에서 1906년부터 1907년까지 안중근이 재건에 힘쓴 진남포의 돈의 학교가 우등을 차지함.

1909년 31세, 안 의사, 단지동맹을 통해 동의단지회를 결성하다.

3월 5일경(음력 2월 7일경), 안중근은 연추 하리에서 11명의 동지와 함께 모여 왼손 무명지를 끊어 그 피로 '대한독립'이라는 네 글자를 쓰고 '대한독립 만세'를 세 번 외치며 하늘과 땅에 맹세하고 조국의 독립회복과 동양평화유지를 위해 헌신하는 동의단지회를 결성하다. 안 의사가 회장에 선임, 회무를 주관하다. 단지혈맹동지는 12명으로 안응칠(31세), 김기룡(30세), 강순기(40세), 정원주(30세), 박봉석(32세), 유치홍(40세) 조응순(25세), 황병길(25세), 백규삼(27세), 김백춘(25세), 김천화(26세), 강창두(27세)가 있었음.

안 의사,「인심결합론」을 발표하다.

3월 21일,『해조신문』에 '안응칠'이란 이름으로 기서하여 인심을 단합하여 국권을 회복하는 방략에 대하여 논함.

10월 초, 해삼위에서 소문과 신문을 통해 이토히로부미가 22일경 하얼빈에 도착한다는 사실을 알게 되어 의거를 결심. 안중근은 우덕순과 동행의거를 제의하고, 우덕순도 쾌히 동의함.

안중근 의사 하얼빈에서 11일

1909년 10월 21일 오전 8시 50분, 블라디보스토크역 이강의 전송을 받으면서 그동안 함께 활동했던 우덕순과 그의 생애에 마지막이 될지도 모르는 짧지만 긴 여행을 시작. 오후 3시 06분, 우스리크에 도착. 포그라치누이행 열차의 이등차표를 구입. 오후 9시 25분 포그라치누이 역에 도착,

평상시 안면이 있던 한의사 유경집의 집을 찾아가 러시아어에 능통한 그의 아들 유동하를 소개 받고 함께 하얼빈으로 향함.

1909년 10월 22일 오후 9시 15분, 하얼빈 도착. 마차로 10여 분 거리에 있는 김성백의 집을 찾음. 그는 재하얼빈 한민 회회장을 맡고 있으며 유경집과는 사돈지간이었음. 김성백의 집에서 의거 때까지 머물며 거사 계획을 수립하기로 함.

1909년 10월 23일, 안중근과 일행은 오전에 2-3분 거리인 하얼빈 공원에서 산책을 함. 이발소에 들러 머리를 깎고 하얼빈 제1공원(현 조린 공원) 남문의 사진관에 들러 기념사진을 촬영. 거사를 앞두고 마음의 준비를 한 것이었음. 오후에는 동흥소학을 찾아 교사이며 대동공보의 하얼빈 지국장을 맡고 있던 김형재를 만남. 근처 김성옥의 집에 머물고 있는 동지 조도선을 소개 받음. 대동공보사 주필 이강에게 의거 결행과 자금에 관한 편지를 쓰고 의거의 결의를 읊은 '장부가'를 짓고, 우덕순도 이에 화답하는 '거의가'를 지음.

1909년 10월 24일, 아침에 안중근은 우덕순, 조도선 유동하와 함께 하얼빈 정거장으로 나가서, 역의 관리를 통해 러청열차가 서로 바뀌는 정거장이 채가구 등지임을 알게 됨. 유동하는 남아서 연락을 담당하게 하고, 오전 9시 00

분 하얼빈역 일행 3인은 채가구로 떠남. 12시 13분, 채가구 도착. 그곳에서 역 승무원을 통해 26일 오전 6시에 이토의 특별열차가 도착한다는 정보를 입수.

1909년 10월 25일, 안중근은 일행과 함께 오전에 채가구에서 마지막으로 거사 계획을 점검. 이토가 오전 6시에 도착하기 때문에 날이 어두워 거사의 성공이 쉽지 않을 것이라는 판단하에 안중근은 의거의 만전을 위하여 채가구를 의거의 한 지점으로 정하여 우덕순, 조도선 등에게 맡기고, 자신은 하얼빈으로 돌아와 하얼빈역을 의거지로 작정, 의거를 준비함. 12시 00분, 안중근하얼빈으로 출발. 하얼빈에 도착한 안중근은 역사가 한눈에 들어오는 제홍교에서 거사 위치를 확인하고 김성백의 집에서 날이 밝기를 기다림.

1909년 10월 26일 역사적 하얼빈 의거일

채가구에서 의거를 도모하려던 우덕순, 조도선은 러시아 경비병에 의해 수상하게 여겨져, 열차가 지나가는 시각에 그들이 투숙한 역 구내 여관의 문을 잠궈 방안에 갇혀 있다가 의거에 실패.

일찍 일어난 안중근은 새 옷을 벗어 놓고 수수한 양복으로 갈아 입음. 안중근은 오전 7시경 역으로 나가 삼엄한 경비망을 뚫고 역사 안 3등 찻집에서 이토 히로부미의 도착을 기다림. 오전 9시경 이토를 태운 특별열차가 하얼빈역에 도착하자 러시아 코코프체프 대장대신이 열차 안에서 영접함. 약 20분 뒤 이등이 수행원을 거느리고 코코프체프의 안내를 받으며 열차에서 내려 도열한 의장대를 사열하고 이어 각국 사절단 앞으로 나아가 인사를 받기 시작함. 이때 안 의사는 9시 30분경 러시아 의장대 뒤쪽에 서 있다가 약 10여 보의 거리를 두고 선 자세로 M1900 벨기에제 브라우니 권총을 발사하여 이토에게 3발을 명중시키고, 이토 히로부미을 수행하던 하얼빈 가와카미도시히코(川上俊彦) 총영사, 모리타이지로(森泰二郎) 비서관, 다나카세이타로(田中淸太郞) 만철 이사 등에게 부상을 입힘.

안중근은 러시아 헌병에 의해 체포되자 '코레아 우라(대한 만세)'를 3번 외침. 의거 직후 러시아 헌병대에 체포된 안중근은 하얼빈역 헌병대 분파소에서 러시아 국경지방 재판소 제8구 스트라 조프 판사와 밀레르 검찰관에게 심문을 당하다가 오후 10시경에 하얼빈 주재 일본영사관으로 넘겨짐. 치명상을 입은 이토는 곧 러시아 코코프 체프와 의사 고야마 일본인 수행원들에 의해 열차 내로 옮겨져 응급처치를 받았으나 약 20분 후에 69세로 절명.

1909년 10월 27일, 오후 4시가 지나 김성백의 집에 정대호와 사촌, 그리고 안중근 가족 일행이 도착하는 순간 러시아 헌병이 들이닥치고 그들의 신원을 확인. 정대호는 순간적으로 안중근의 아내 김아려를 '누나'라고 함. 러시아 헌병은 여자와 아이들을 체포하여 심문. 여기에서 김성백, 정대호, 정서우를 연행하여 일본영사관에 인도함.

1909년 10월 28일, 관동도독부 고등법원 검찰관 미조부치 다카오가 이 사건의 담당 검사로 뤼순에서 하얼빈에 도착함. 1905년 11월 17일 체결한 '한일 보호조약(을사늑약)'에 의거하여 한국인의 보호는 일본 관헌이 행하는 것으로 되어 있어 러시아 관헌으로부터 압수목록을 비롯하여 안중근 등을 인계 받음.

10월 30일, 하얼빈 일본총영사관에서 미조부치 검찰관의 심문을 받기 시작.

서울 조선 통감부에서 파견된 소노키 스에키가 10월 30일부로 관동도독부 고등법원 통역으로 촉탁됨.

10월 31일, 검찰관 미조부치는 우덕순, 조도선, 유동하 등 세 명을 취조. 그들은 안중근과 주살에 대하여 전면 부인했고, 체포당한 이후 사건에 알게 되었다고 진술.

11월 1일, 미조부치는 안중근 등 9명에게 구류장을 발부하고 오전 9시에 관동도독부 헌병대에게 신병을 인도하여 관동도독부 감옥서(현뤼순 감옥)로 호송키로 함. 하얼빈에 남은 김성백, 정서우 등 6명에 대해서는 모두 석방 절차를 밟음. 오전 11시 00분, 일본 헌병과 러시아 헌병의 감시하에 안중근은 등 9인이 뤼순구 감옥으로 향함.

안중근 의사 뤼순에서의 투쟁

1909년 11월 3일, 뤼순구에 이르러 감옥에 수감.

12월 2일, 고무라주타로 외무대신이 현지 파견 중인 구라치테스키치 정무국장을 통하여 '중형징죄'를 전보로 명령 전달하게 하고 나아가 고등법원장 히라이시를 본국으로 소환해 '사형판결'을 위한 공판 개정을 다짐 받음.

12월 중순, 안중근의 동생 정근, 공근이 뤼순감옥으로 안중근을 면회 옴.

안중근은 국내에서 찾아온 두 동생을 4-5일만에, 혹은 10여 일 만에 차례로 만나서 이야기를 나누고 이 자리에서 안중근은 한국인 변호사를 선임하는 일과 천주교 신부를 초청하여 종부성사 받을 일들을 부탁. 또한 자신의 자서전 『안응칠 역사』를 집필하기 시작.

1910년 1월 31일-2월 1일경부터, 일본의 검찰관과 옥리들의 심문 태도가 강압적으로 돌변하고 안중근에게 공판개정일이 6-7일 뒤로 결정되었다고 통보. 또한 이미 허가한 한국인 변호사의 변호는 물론 영국, 러시아, 스페인 등의 외국 변호사도 일체 변호가 허가되지 않으며, 일본인 관선 변호사만이 허용

된다는 사실을 통보.

1910년 2월 7일 오전 10시, 중국 뤼순 관동도독부 고등법원 제1호 법정에서 재판장 진과십장의 단독심리하에 안중근, 우덕순, 조도선, 유동하등 하얼빈 의거 관련자 4인에 대한 제1회 공판이 열림. 재판부는 재판장에 관동도독부 지방법원장 마나페주죠(眞鍋十藏), 담당검찰관은 미조부치, 관선 변호사는 미즈노(水野吉太郎)와 가마타(鎌田政治), 서기 와다나베(渡邊)로 전원 일본인 일색으로 구성. 이 공판에서 우선 안중근, 우덕순, 조도선, 유동하 등 네 피고인의 인적사항 확인 후 다음 안중근에 대한 심문이 전개됨. 안중근은 "3년 전부터 대한의군 참모중장의 자격으로 이등을 포살코자 했으며, 이 의거는 개인적인 원한이 아니라 한국의 독립과 동양평화를 위해서 독립전쟁의 일환으로 결행한 것이다"라고 진술.

2월 8일 오전 11시, 제2회 공판이 속개되어 우덕순과 조도선에 대한 개별 심문이 행해짐. 우덕순은 하얼빈 의거에 참가한 이유를 "안중근은 의병으로서 한 일이겠으나 자신은 국민의 한 사람으로서 당연히 해야 할 일을 했을 뿐이다."라고 진술. 조도선은 정대호가 데리고 오기로 되어있는 안중근의 가족을 마중 나갈 때 러시아어 통역을 도와주기 위해서 안중근과 채가구로 동행했다고 진술.

2월 9일 오전 9시 50분, 제3회 공판이 개정.

먼저 유동하에 대한 개별신문이 행해짐. 유동하에 대한 개별 심문이 행해짐. 몰랐다고 진술. 오후부터 재판장의 정기 취조가 행해져 안중근이 이강에게 보내려던 편지와 안중근, 우덕순의 시가 러시아와 일본 관헌에 의해 밝혀진 사실들이 제시됨. 여기서 안중근은 '이토 히로부미의 죄악' 15개조를 설명하다. 중도에 재판장에 의하여 중지당함.

2월 10일 오전 9시 40분, 제4회 공판이 시작. 구연 검찰관으로부터 각자에 대한 형량이 구형되는데 안중근은 사형, 우덕순, 조도선은 징역 3년, 유동하는 징역 1년 6개월이 구형됨.

2월 12일 오전 9시 30분, 제5회 공판이 개정.

두 일본인 관선 변호사의 변론이 행해짐. 겸전 변호사는 주로 우덕순, 조도선, 유동하 등에 대해 변론하고 미즈노 변호사는 안중근에 대하여 변호. 변론이 끝난 후 피고인들의 최후 진술에서 안중근은 일제의 침략적 간계를 규탄하면서 한국의 독립과 동양의 평화를 위하여 이토 히로부미를 제거했다고 진술하고 자신을 단순한 자객으로 취급하지 말고 전쟁 중에 잡힌 포로로 대접하여 마땅히 만국공법에 의하여 처리하라고 진술.

1910년 2월 14일 오전 10시, 제6회(최종판결)이 개정.

재판장은 일본 형법을 적용시켜 안중근에게 사형, 우덕순에게 징역 3년, 조도선과 유동하에게는 각각 징역 1년 6개월을 각각 선고. 이러한 선고를 받고도 안중근은 "이보다 더 극심한 형은 없느냐"고 말하면서 시종일관 의연한 자세를 취함.

1910년 2월 15일, 안병찬 변호사를 회견하고 「동포에게 고함」을 전함.

1910년 2월 17일, 히라이시 고등법원장과 면담, 「동양평화론」의 실천방안을 제시.

1910년 3월 8일, 한국으로부터 뤼순감옥으로 빌렘신부가 찾아옴

다음 날인 9일부터 10일까지 빌렘 신부가 안 의사의 영생영락을 위하여 고해성사와 미사성제대례를 행함. 이때 감옥소의 일반관리들도 함께 참례. 면회실에서 검찰관, 전옥, 통역, 간수장, 두 변호사 등이 입회하에 안정근, 안공근 두 아우와 빌렘 신부를 면회하고 20분 동안 기도를 드린 후 동포에게 고하는 최후의 유언을 남김.

1910년 3월 15일, 안중근은 자서전 『안응칠 역사』를 탈고.

1909년 12월 13일부터 92일에 거쳐 자서전 '안응칠역사'를 완성, '동양평화론'을 쓰기 시작. 한편 이 무렵부터 안중근은 '국가안위노심초사', '일일부독서 구중생형극'등 한문 붓글씨로 된 많은 유묵을 남기기 시작. 안중근이 갇혀 있는 감옥소에 관계하던 많은 일본인들이 비단과 지필묵을 가지

고 와서 안 의사에게 기념 소장할 붓글씨를 써줄 것을 부탁.

1910년 3월 25일, 안 의사, 마지막으로 두 동생을 만나다.

25일 동생 정근과 공근을 마지막 면회하는 자리에서 모친과 부인, 숙부, 동생, 뮈텔주교, 빌렘신부 등에게 미리 써 놓았던 6통의 유서를 전함.

1910년 3월 26일, 안 의사, 뤼순감옥에서 교수형이 집행되어 순국하다.

안중근은 전날 고향으로부터 보내온 조선옷으로 갈아입고 형장으로 나아가기 전에 약 10분간 무릎을 꿇고 기도. 임형 직전 마지막으로 남길 유언을 묻는 검찰관의 물음에, "나의 의거는 동양평화를 위해 결행한 것이므로 임형관리들도 앞으로 한일간에 화합하여 동양평화에 이바지하기 바란다."고 하고 이 자리에서 함께 '동양평화 만세'를 부를 것을 제기하자 형리들은 이를 제지하고 교수형을 집행, 안 의사는 의연하게 순국함. 안중근의 시신은 새로 송판으로 만든 침관에 안치된 후 관동도독부 감옥서 묘지에 비밀리 안장됨.

1962년, 건국훈장 대한민국장을 추서하였다.

하얼빈 대사기

1888년 흑룡강성 동녕현 삼차구 고안촌 20호 조선족 농민 개척

1895년 조선농민 오상현 사하즈향 소구산 일대 수전 개발

1903년 1900년 러시아 중동철도 건립, 시베리아에서 조선 고용 노동자 유입, 1903

년 준공 후 부분적 조선인 노동자 하얼빈, 일면파, 황도허즈와 목단강, 목릉하, 수분하 유역 거주

1909년 10월 26일 안중근 의사 하얼빈역에서 일본 추밀원 의장 이토 히로부미 주살

1910년 하얼빈 조선족 거류민회와 소학교 건립, 조선족 집거지 고려가(현 도리구 서8도가)

1912년 하얼빈시 페스트 창궐

1915년 하얼빈시 꾸샹둔 조선족 소학교 건립 - 동명학교

1920년 9월 5일 하얼빈시 영실 조선족 학교 성립

1920년 11월 밀산 3,500여 명 대한 독립군단 조직을 위하여 조선족 인민 반일 무장

1924년 3월 10일 김혁, 김좌진 등 영안에 신민부 조직, 반일투쟁 전개

1925년 5월 중동철로변 조선족 반일청년단체 대표 아성현 회의 개최하여 '북만조선인청년총동맹' 성립, '농군' 간행문 발간

1931년 9월 18일 9.18사변 발발, 동북지역 함락

1932년 9월 중공주하현중심현위 성립, 이추악 부녀위원

1933년 10월 중공주하중심현위 성립 주하동북반일유격대, 조상지 대장, 이복림 당지부 서기

1934년 2월 동북국민구국군제10여특무영 개편 요하민중반일 유격대, 대장 이학복

참모장 최석천, 정치위원 박진우

1936년 8월 동북인민혁명군 제3군 개편 동북항일연군제 3군, 이복림 제 1사 정치부 주임, 허형식(이희산) 제3사 정치부 주임, 김책 제 4사 정치부 주임 역임

1937년 4월 동북항항일연군 제3군 1사 정치부 주임 이복림 통화현 2도하자에서 전투 중 희생

1938년 8월 동북항일연군 제7군 군장 이학복 병사

1939년 1월 일본 제국주의 조선족에 대해 '창씨개명령' 반포

1940년 4월 동북항련 제3로군 총참모장겸 12지대 정치위원 허형식(이희산) 목란현 대청고 삼합점에서 일제 20여명 격멸

1942년 8월 3일 동북항련 제3로군총참모장 허형식 경성현 청봉령 전투 중 희생

1945년 8월 15일 일본 무조건 투항

1945년 8월 20일 조선독립동맹 북만특별위원회 하얼빈 성립, 김석명 특위서기 임명

1945년 9월 2일 하얼빈 한인 중학 성립

1945년 9월 10일 목단강 고려 중학과 고려 여자 중학 성립

1946년 4월 하얼빈 조선 의용군제 3지대 선전대 성립

1948년 7월 21일 동북행정위원회 조선족 간부학교 하얼빈시 개학, 199명

1949년 9월 하얼빈시 남강 체육장 송강성 조선족 족구대회 개최

1950년 1월 2일 하얼빈시 성립 조선족 문화관(현 하얼빈시 조선족 민족 예술관)

1953년 1월 동북3성 민족 교육 공작회의 결정 조선족 중학교 교과서 한자 병행 금지, 당년 가을 조선 어문과 책 한자 취소

1955년 하얼빈 조선족 수전공작회의 개최

1958년 8월부터 12월 중국과학원 민족연구소 흑룡강성 소수민족 사회 역사 조사 조직 조선족조, 전 성(省) 조선족 사회 역사 조사 진행

1961년 10월 조선문 목단강 일보 흑룡강 일보(조선문) 명칭 변경, 하얼빈으로 이사

1963년 2월 20일 흑룡강성 인민 텔레비젼 조선어조 설립(후 조선어부로 변경)

1973년 6월 흑룡강성 총공회 제4차 대표 대회상 이민 성총공회 부주임 당선

1976년 3월 1일 흑룡강 인민 출판사 조선문 편역실 목단강 창건

1980년 5월 흑룡강성 조선어문 교학 연구회 성립

1982년 3월 흑룡강성 조선어학회 성립

1983년 7월 중공흑룡강성 제5차 대표 대회상 이민 성위위원 당선

1986년 9월 흑룡강 조선문보사 흑룡강신문사 개칭

1986년 연말 하얼빈시 조선 민족 문화예술관에 조선 민족 문화관과 조선 전업 예술단 건립

1992년 8월 24일 한중 수교

2006년 1월 16일 안중근 의사 동상 중앙대가 11도가 건립

2007년 7월 1일 조선 민족 예술관 하얼빈시 도리구로 이전 낙성

2013년 6월 3일 대한민국 박근혜 대통령, 중국 시진핑 주석에게 하얼빈역 안중근 기념 표지석과 자료 수집 제안

2014년 1월 19일 하얼빈역에 안중근 의사 기념관 개관

2016년 10월 조선 민족 예술관으로 안중근 의사 기념관 이전·개관

2019년 3월 현재 다시 하얼빈역으로 안중근 의사 기념관 확장·재개관

참고문헌

김선경·김선명·서일수·오세운·장연환·전병철·홍일교(2017),
『독립운동 현장읽기. 일제 식민기관과 의열투쟁편』, 독립기념관 한국독립운동사연구소
김용구(2018), 『러시아의 만주·한반도 정책사, 17~19세기』, 푸른역사
김월배·김종서(2015), 『(광복 70주년) 뤼순의 안중근 의사 유해발굴 간양록』, 청동거울
김월배·판마오중(2014) 『안중근은 애국 - 역사는 흐른다』, 한국문화사
김월배(2015), 영웅창간호, 안중근 의사 관동도독부 감옥서에 묻혔다. 코레아 우라 출판사
김은식(2016), 『정율성 : 중국의 별이 된 조선의 독립군』, 이상
노성태(2018), 『다시, 독립의 기억을 걷다』, 살림터
량치차오(2013), 『리훙장 평전』, 프리스마
만주일일신문사 발행(2014), 안중근 사건 공판 속기록, 일본 비평사
박도(2016), 『(만주 제일의 항일 파르티잔) 허형식 장군』, 눈빛
박영희(2015), 『하얼빈 할빈 하르빈』, 아시아
상해 대한민국임시정부 옛청사 관리처 보경문총편집위원회·김승일(2005), 『중국항일전쟁과 한국독립운동』, 시대의창
서기술, 서명훈(1988), 흑룡강 조선민족, 흑룡강 조선민족출판사
신용하(1995), 『안중근 유고집』, 역민사
안중근의사숭모회/안중근의사기념관(2019), 『안중근 안쏠로지 : 다시 안중근을 읽는 시간』, 서울셀렉션
양옌쥔(2016), 『관동군 제 731부대 죄증 도록』, 흑룡강 인민 출판사
윤태옥(2018), 『(중국에서 만나는) 한국 독립운동사』, 섬앤섬
정운현·정창현(2017), 『안중근家 사람들 : 영웅의 숨겨진 가족이야기』, 역사인
韓淑芳(2018), 『老哈尔滨(民国趣读·老城记)』, 中国文史出版社

공훈전자사료관 홈페이지(http://e-gonghun.mpva.go.kr)
국사편찬위원회 홈페이지(http://www.history.go.kr)
일본아시아역사 사료센타
일본 외교 사료관
일본 방위성 연구소

저자 소개 | 김월배

1967년 충남 안면도 출생, 경제학 박사. 하얼빈 이공대학 외국인 교수, 한국 안중근 기념관 연구위원, 연세대학교 안중근 사료실 객원 연구원, 하얼빈 안중근의사 기념관 객원 연구원, 뤼순 관동법원 관리위원, 뤼순일아감옥구지 박물관 객좌 연구원으로 활동하고 있다. 『안중근은 애국, 역사는 흐른다』, 『안중근의사 지식문답』, 『돌아오지 않는 안중근』, 『안중근의사 유해를 찾아라』, 『안중근 의사 유해발굴 간양록』, 『대한국인, 대한민국을 말하다』, 『사건과 인물로 본 임시정부 100년』, 『共同研究安重根と東洋平和』, 『안면도에 역사를 묻다』 등을 각각 공저하였으며, 『안중근의사 자서전』, 『안중근의 동양평화론』, 『旅顺日俄监狱旧址博物馆』 등의 역서가 있다. 대한민국 국민포장(2018)을 수상했으며, KBS 1박 2일, EBS 국민공감 콘서트 등 다수 방송출현, 안중근 의사 유해발굴의 당위성과 선양을 알리고 있다.

저자 소개 | 김이슬

1988년 경기도 수원에서 출생. 2010년부터 2019년까지 중국어 강의와 중국어 번역을 했다. 2013년부터 한국어 강의를 시작하여 대안학교와 경희대학교 언어교육원 등의 대학교 부설 기관에서 외국인 대상 한국어 강의를 해왔다. 2016년부터 2018년까지 하얼빈 이공대학에서 외국인 교수로 근무를 하면서 안중근 의사와 독립운동가에 관심을 갖고 연구하기 시작했다. 현재는 하얼빈 이공대학 경제학과 박사 과정 중이다.

안중근, 하얼빈에 역사를 묻다

초판 1쇄 인쇄 | 2020년 11월 12일
초판 1쇄 발행 | 2020년 11월 20일
글 | 김월배, 김이슬
펴 낸 이 | 김경우
펴 낸 곳 | 도서출판 걸음
출판등록 | 2019년 12월 10일 제2019-000090호
주　　소 | (413-756) 서울 용산구한남동 578-31 낙원하이츠빌라 202호
전　　화 | 02-794-7703
팩시밀리 | 02-2179-7925
이 메 일 | maguh@naver.com

정가 18,000원
ISBN 979-11-969124-6-8 03980